O JOGO INFINITO

O JOGO INFINITO
SIMON SINEK

Título original: *The Infinite Game*
Copyright © 2019 por SinekPartners, LLC
Copyright da tradução © 2020 por GMT Editores Ltda.

Todos os direitos reservados. Nenhuma parte deste livro pode ser utilizada ou reproduzida sob quaisquer meios existentes sem autorização por escrito dos editores.

Publicado mediante acordo com a Portfolio, selo da Penguin Publishing Group, divisão da Penguin Random House LLC.

tradução: Paulo Geiger

preparo de originais: Carolina Vaz

revisão: Luis Américo Costa e Suelen Lopes

diagramação: Adriana Moreno

capa: Christopher Sergio

adaptação de capa: Ana Paula Daudt Brandão

impressão e acabamento: Lis Gráfica e Editora Ltda.

CIP-BRASIL. CATALOGAÇÃO NA PUBLICAÇÃO
SINDICATO NACIONAL DOS EDITORES DE LIVROS, RJ

S623j Sinek, Simon
O Jogo Infinito / Simon Sinek; tradução de Paulo Geiger. Rio de Janeiro: Sextante, 2020.
256 p.; 16 x 23 cm.

Tradução de: The Infinite Game
ISBN 978-85-431-0952-7

1. Liderança. 2. Comunicação nas organizações.
3. Comunicação na administração. I. Geiger, Paulo. II. Título.

20-62186 CDD: 658.45
CDU: 005.336.5:005.57

Todos os direitos reservados, no Brasil, por
GMT Editores Ltda.
Rua Voluntários da Pátria, 45 – 14.º andar – Botafogo
22270-000 – Rio de Janeiro – RJ
Tel.: (21) 2538-4100
E-mail: atendimento@sextante.com.br
www.sextante.com.br

Numa bifurcação da estrada há um sinal.
Apontando numa direção, o sinal diz "Vitória".
Apontando na outra direção, o sinal diz "Realização".
Temos que escolher uma direção.
Qual delas vamos escolher?

Se escolhermos o caminho para a Vitória,
o objetivo é vencer!
Experimentaremos a emoção da competição
enquanto corremos para a linha de chegada.
Multidões nos aguardam para nos aclamar!
E depois acabou.
E todos vão para casa.
(Tomara que possamos fazer isso de novo.)

Se escolhermos o caminho da Realização,
a jornada será longa.
Haverá vezes em que teremos que olhar onde pisamos.
Haverá vezes em que poderemos parar e curtir a paisagem
e seguimos em frente,
e seguimos em frente.
Multidões se juntarão a nós em nossa jornada.

E, quando nossa vida tiver chegado ao fim,
os que se juntaram a nós no caminho da Realização
vão continuar a seguir sem nós e
inspirar outros a se juntar a eles também.

Querida avó,

Assim como você viveu como se não houvesse uma linha de chegada, talvez aprendamos a viver uma vida igual à sua: infinita.

Com amor, Simon

SUMÁRIO

Por que escrevi este livro 11
Vencer 15

Capítulo 1
JOGOS FINITOS E INFINITOS 17

Capítulo 2
CAUSA JUSTA 41

Capítulo 3
CAUSA VERDADEIRA OU FALSA? 63

Capítulo 4
GUARDIÃO DA CAUSA 75

Capítulo 5
A RESPONSABILIDADE NOS NEGÓCIOS (REVISTA) 85

Capítulo 6
VONTADE E RECURSOS 107

Capítulo 7
EQUIPES DE CONFIANÇA 119

Capítulo 8
O DECLÍNIO ÉTICO 147

Capítulo 9
RIVAIS DIGNOS 173

Capítulo 10
FLEXIBILIDADE EXISTENCIAL 195

Capítulo 11
A CORAGEM PARA LIDERAR 209

Posfácio 233
Agradecimentos 237
Notas 241

POR QUE ESCREVI ESTE LIVRO

É surpreendente que este livro sequer precise existir. Ao longo da história da humanidade, é fácil notar os benefícios do pensamento infinito. A ascensão de grandes sociedades, os avanços na ciência e na medicina e a exploração espacial, tudo isso aconteceu porque grandes grupos de pessoas, unidos numa causa comum, optaram por colaborar mesmo sem um objetivo claro em vista. Se um foguete destinado a alcançar as estrelas caía, por exemplo, nós imaginávamos o que tinha dado errado e tentávamos de novo... e de novo... e de novo. E, mesmo depois de obtermos êxito, seguíamos em frente. E fazíamos essas coisas não pela promessa de um bônus no final do ano; nós as fazíamos porque sentíamos que estávamos contribuindo para algo maior que nós mesmos, algo cujo valor perduraria muito além de nossa vida.

Apesar de todos os seus benefícios, atuar com uma visão infinita, de longo prazo, não é fácil. Exige um esforço real. Como seres humanos, somos naturalmente inclinados a buscar soluções imediatas para problemas incômodos e a priorizar vitórias rápidas para satisfazer nossas ambições. Tendemos a ver o mundo em termos de sucesso ou fracasso, vencedores ou perdedores. Esse modelo-padrão de perde-ganha talvez até funcione no curto prazo, mas, como estratégia para gerenciar empresas e organizações, pode ter severas consequências a longo prazo.

Os resultados dessa mentalidade-padrão são bastante familiares: ciclos anuais de demissões em massa para se adequar a projeções arbitrárias, ambientes de trabalho com permanente ameaça de corte, subserviência aos acionistas em detrimento das necessidades de empregados e clientes, práticas desonestas e antiéticas, premiação de membros da equipe tóxicos porém com alto desempenho (enquanto os danos que estão causando ao resto da equipe são ignorados) e recompensa a líderes que parecem cuidar muito mais de si mesmos do que de seus subordinados. Tudo isso contribui para o declínio da lealdade e do engajamento e para o aumento da insegurança e da ansiedade que tantos sentem nos dias de hoje. A expansão da abordagem impessoal e transacional para os negócios parece ter se acelerado após a Revolução Industrial e ganhado ainda mais impulso na era digital. De fato, todo o nosso entendimento do comércio e do capitalismo parece ter sido subjugado pelo pensamento de curto prazo e pela mentalidade finita.

Embora muitos lamentem essa situação, infelizmente parece que o desejo do mercado de manter esse status quo é mais poderoso do que o *momentum* para mudá-lo. Quando dizemos que "As pessoas são mais importantes que o lucro", frequentemente encontramos resistência. Muitos daqueles que controlam o sistema em vigor hoje, nossos atuais líderes, nos chamam de ingênuos e dizem que não compreendemos a "realidade" de como o mundo dos negócios funciona. Como resultado, muitos de nós recuam e se resignam a acordar com pavor de ir trabalhar, a não se sentir seguros no ambiente de trabalho e a ter dificuldade para obter realização pessoal. Já chegamos ao ponto em que a busca desse elusivo equilíbrio entre trabalho e vida pessoal tornou-se uma indústria. Isso me faz pensar: será que não temos outra opção viável?

É totalmente possível que talvez, apenas talvez, a "realidade" da qual os cínicos tanto falam não tenha que ser dessa maneira. Que talvez nosso sistema atual de fazer negócios não seja o "certo", nem mesmo o "melhor". É apenas o sistema ao qual nos acostumamos, preferido e endossado por uma minoria, não pela maioria. Se esse for realmente o caso, então temos a oportunidade de avançar para uma realidade diferente.

Temos o pleno poder de construir um mundo no qual a ampla

maioria de nós possa acordar a cada manhã inspirada, sentir-se segura no trabalho e voltar para casa realizada no final do dia. O tipo de mudança que estou defendendo não é fácil. Mas é possível. Com bons líderes – grandes líderes –, essa visão pode ganhar vida. Grandes líderes são aqueles que pensam além do antagonismo entre "curto prazo" e "longo prazo". São aqueles que sabem que não se trata do próximo trimestre ou da próxima eleição; trata-se da próxima geração. Grandes líderes preparam suas organizações para terem sucesso mesmo após sua morte, e, quando fazem isso, os benefícios – para nós, para os negócios e até para os acionistas – são extraordinários.

Não escrevi este livro para converter aqueles que defendem o status quo, mas para mobilizar quem está disposto a desafiar esse status quo e substituí-lo por uma realidade que condiz muito mais com a nossa profundamente estabelecida necessidade humana de se sentir seguro, de contribuir para algo maior que nós mesmos e de prover subsistência para nossa família. Uma realidade que funciona em prol de nossos melhores interesses como indivíduos, como empresas, como comunidades e como espécie.

Se acreditarmos num mundo no qual nos sintamos inspirados, seguros e realizados a cada dia, e se acreditarmos que são os líderes que podem nos outorgar essa visão, então é nossa responsabilidade coletiva encontrar, orientar e apoiar as pessoas que assumirão o compromisso de nos guiar por um caminho que mais provavelmente nos levará a essa visão. E um dos primeiros passos é aprender o que significa liderar no Jogo Infinito.

Simon Sinek
4 de fevereiro de 2019
Londres, Inglaterra

VENCER

Na manhã de 30 de janeiro de 1968, o Vietnã do Norte lançou um ataque de surpresa contra as forças dos Estados Unidos e de seus aliados. Nas 24 horas seguintes, mais de 85 mil norte-vietnamitas e tropas vietcongues atacaram 125 alvos no país inteiro. As forças americanas foram pegas tão desprevenidas que muitos dos oficiais no comando nem estavam em seus postos quando o ataque começou – estavam comemorando o Têt em cidades próximas. A ofensiva Têt tinha começado.

O Têt, o Ano-Novo lunar, é tão importante para os vietnamitas quanto o Natal é para muitos ocidentais. E, assim como a trégua do Natal na Primeira Guerra Mundial, havia no Vietnã uma tradição de décadas de que nunca se combatia durante o Têt. No entanto, ao vislumbrar uma oportunidade de superar as forças americanas e talvez conseguir pôr um fim rápido à guerra, a liderança norte-vietnamita decidiu quebrar a tradição.

E eis aqui a grande surpresa: os Estados Unidos rechaçaram todos os ataques. Cada um deles. E as tropas americanas não só repeliram os ataques; elas dizimaram as forças atacantes. Após a maior parte dos combates chegar ao fim, cerca de uma semana após o ataque inicial, os Estados Unidos tinham perdido menos de mil soldados. O Vietnã do Norte, em gritante contraste, perdeu mais de 35 mil! Na cidade de Huê, onde a batalha durou quase um mês, os americanos perderam 150 fuzileiros navais, e os vietcongues, 5 mil combatentes!

Uma análise minuciosa da Guerra do Vietnã como um todo revela um quadro notável. Os Estados Unidos venceram, na realidade, a grande maioria das batalhas que travaram. Ao longo dos dez anos em que as tropas americanas estiveram ativas no Vietnã, perderam 58 mil soldados. O Vietnã do Norte perdeu mais de 3 milhões de pessoas.[1] Proporcionalmente, é o equivalente aos 27 milhões de pessoas que os americanos perderam em 1968.

Tudo isso nos leva a uma questão: como é possível vencer quase todas as batalhas, dizimar seu inimigo e ainda assim perder a guerra?

Capítulo 1

JOGOS FINITOS E INFINITOS

Se existirem pelo menos dois jogadores, existe um jogo. E há dois tipos de jogo: os finitos e os infinitos.

Jogos finitos são disputados por jogadores conhecidos. Eles têm regras fixas e um objetivo de comum acordo que, ao ser alcançado, encerra o jogo. O futebol, por exemplo, é um jogo finito. Todos os jogadores usam uniforme e são facilmente identificados. Há um conjunto de regras, e lá estão os juízes para fazer com que tais regras sejam respeitadas. Todos os jogadores concordam em seguir as mesmas regras e aceitam penalidades caso as transgridam. Todos concordam que a equipe que marcar mais gols no fim do período regulamentar será declarada a vencedora, o jogo estará encerrado e todo mundo poderá ir para casa. Em jogos finitos, há sempre início, meio e fim.

Já os jogos infinitos têm jogadores conhecidos e desconhecidos. Não existem regras precisas ou acordadas. Embora possa haver convenções ou leis que regulem como os jogadores vão se comportar, dentro desses limites amplos eles podem agir como bem entenderem. E, se decidirem romper com as convenções, sem problema. Cabe totalmente a cada jogador decidir como vai jogar. Além disso, a maneira como o jogo é desenvolvido pode mudar a qualquer momento, por qualquer motivo.

Jogos infinitos têm horizontes temporais infinitos. E, como não existe uma linha de chegada, tampouco um fim prático do jogo, não há como "vencer". Num jogo infinito, o objetivo primordial é continuar em campo e perpetuar o jogo.

Meu entendimento quanto a esses dois tipos de jogo vem do próprio criador desses conceitos, o professor James P. Carse, que escreveu, em 1986, um pequeno tratado intitulado *Jogos finitos e infinitos – A vida como jogo e possibilidade*. Foi seu livro que me fez pensar em termos que vão além de vencer e perder, empates e impasses. Quanto mais eu olhava para nosso mundo por meio da lente dos jogos finitos e infinitos de Carse, mais começava a ver jogos infinitos em todo lugar. Não há como chegar em primeiro lugar no casamento e na amizade, por exemplo. Apesar de a escola ser finita, não há como vencer em educação. Podemos superar outros candidatos a um emprego ou uma promoção, mas ninguém é coroado vencedor de uma carreira. Embora nações possam competir em escala global com outras nações por território, influência ou vantagens econômicas, não há como vencer a política global. Por mais bem-sucedidos que sejamos em vida, nenhum de nós será declarado o vencedor da vida ao morrer. E certamente não há como vencer nos negócios. Todas essas coisas são jornadas, não eventos.

No entanto, quando ouvimos a linguagem de muitos de nossos atuais líderes, é como se eles não conhecessem o jogo de que estão participando. Falam constantemente em "vencer". Estão obcecados em "derrotar seus concorrentes". Anunciam ao mundo que são "os melhores". Declaram que têm como missão "ser o número um". Só que, em jogos sem linha de chegada, todas essas coisas são impossíveis.

Quando somos líderes com uma mentalidade finita num jogo infinito, temos todo tipo de problema. Os mais comuns são o declínio da confiança, da cooperação e da inovação. Por outro lado, liderar com uma mentalidade infinita num jogo infinito nos faz avançar em uma direção melhor. Grupos que adotam uma mentalidade infinita desfrutam de níveis muito mais elevados de confiança, cooperação e inovação e de todos os seus subsequentes benefícios. Se somos, muitas vezes, jogadores em jogos infinitos, é de nosso interesse aprender a reconhecer o tipo de jogo em que estamos inseridos e o que é preciso para liderar com uma mentalidade infinita. É igualmente importante aprender a reconhecer as pistas que indicam nossos pensamentos finitos, para podermos fazer ajustes antes que causem maiores danos.

O Jogo Infinito dos negócios

O jogo dos negócios se enquadra na definição de um jogo infinito. Não conhecemos todos os jogadores, e novos jogadores podem entrar no jogo a qualquer momento. Todos os jogadores estabelecem as próprias estratégias e táticas, e não há um conjunto de regras fixas com as quais todos concordaram, a não ser a lei (e mesmo esta pode variar de acordo com o país). Diferentemente de um jogo finito, não há um momento predeterminado para o início, o meio ou o fim dos negócios. Embora muitos concordem com certas margens de tempo para avaliar o desempenho em relação ao dos outros jogadores – o ano fiscal, por exemplo –, elas representam marcos *dentro* do curso do jogo; nenhuma marca o fim do próprio jogo. O jogo dos negócios não tem linha de chegada.

Apesar de estarem em um jogo que não tem vencedores, é grande o número de líderes que continuam jogando como se fossem capazes de vencer. Continuam a alegar que são os "melhores" ou que são "o número um". Essas alegações se tornaram de tal modo lugares-comuns que raramente, se é que alguma vez, paramos para realmente pensar sobre quão ridículas são. Sempre que vejo uma empresa alegar que é a número um ou a melhor, gosto de procurar as letrinhas miúdas para saber como seus gestores escolheram a métrica que lhes convém. Durante anos a British Airways, por exemplo, reivindicou em seus anúncios que era "a companhia aérea favorita do mundo".[1] A companhia aérea de Richard Branson, a Virgin Atlantic, entrou com um contencioso na Autoridade Britânica para Padrões de Publicidade (ASA) alegando que essa reivindicação não seria verdadeira com base em pesquisas mais recentes. A ASA, no entanto, permitiu a permanência do anúncio, pois a British Airways transportava internacionalmente mais passageiros do que qualquer outra companhia aérea. "Favorita", do modo como a palavra fora usada, significava que sua operação tinha grande expansão, não necessariamente que fosse a preferida dos passageiros.

Para uma empresa, ser a número um pode ter como base o número de clientes. Para outra, poderia ser a receita, o desempenho das ações na bolsa, o número de funcionários ou o número de escritórios que mantém no mundo inteiro. As empresas que reivindicam tal título ainda têm que decidir qual o período que estão considerando em seus cálculos. Às vezes é um trimestre. Ou oito meses. Às vezes, um ano. Ou cinco. Ou doze. Porém, há mais alguém nesse ramo que concorde com esse mesmo período de tempo usado para a comparação? Em jogos finitos, existe uma única métrica, de comum acordo, que diferencia um vencedor e um perdedor, como número de gols marcados, medidas de velocidade ou força. Em jogos infinitos há múltiplas métricas, por isso é impossível definir um vencedor.

O jogo finito termina quando o tempo se esgota e os jogadores sobrevivem para jogar outro dia (a menos que seja um duelo, é claro). Num jogo infinito, é o contrário. É o jogo que continua vivo enquanto o tempo acaba para os jogadores, que simplesmente saem de cena quando ficam sem vontade ou sem recursos para continuar. No mundo dos negócios, chamamos isso de falência ou, às vezes, de fusão ou aquisição. Para sermos bem-sucedidos no Jogo Infinito dos negócios, temos que parar de pensar em quem vence ou em quem é melhor e começar a pensar sobre como montar empresas que sejam fortes e saudáveis para permanecer no jogo por muitas gerações. Os benefícios dessa postura, ironicamente, acabam tornando as empresas mais fortes também no curto prazo.

Uma história com dois jogadores

Alguns anos atrás, falei numa reunião de cúpula da Microsoft sobre educação. Alguns meses depois, falei sobre o mesmo assunto na Apple. No evento da Microsoft, a maioria dos presentes dedicou boa parte de suas apresentações a falar sobre como pretendiam derrotar a Apple. No evento da Apple, todos os palestrantes dedicaram 100% de seu tempo a discorrer como a Apple estava tentando ajudar professores a ensinar e alunos a aprender. Um grupo parecia obcecado em derrotar seu concorrente. O outro parecia obcecado em lutar por uma causa.

Após a apresentação na Microsoft, recebi um presente: o novo Zune (na época, uma grande novidade). Era a resposta da Microsoft ao iPod da Apple, o MP3 player que dominava o mercado. Para não ser ultrapassada, a Microsoft introduziu o Zune a fim de tentar arrebatar parte do mercado de sua arquirrival. Mesmo sabendo que não seria fácil, em 2006, Steve Ballmer, então CEO da Microsoft, estava confiante que a Microsoft conseguiria "superar" a Apple.[2] E, se a qualidade do produto fosse o único fator, Ballmer teria razão para estar otimista. A versão que a Microsoft me deu – o Zune HD – era, devo admitir, excepcional. O design era elegante, a interface do usuário era simples, intuitiva e fácil de usar. Eu realmente gostei. (A bem da verdade, eu o passei adiante para um amigo pela simples razão de que, ao contrário do meu iPod, que é compatível com o Microsoft Windows, o Zune não era compatível com o iTunes. Assim, por mais que quisesse usá-lo, eu não poderia.)

Após o evento na Apple, dividi o táxi na volta ao hotel com um executivo sênior da empresa, que estava com a empresa desde os primeiros dias de sua existência, completamente imerso na cultura e no conjunto de crenças. Sentado ali com ele, uma plateia cativa, não pude me conter. Tinha que jogar lenha na fogueira. Assim, virei-me para ele e disse: "Sabe... dei uma palestra na Microsoft e eles me deram o novo Zune e, preciso dizer, é MUITO MELHOR do que o iPod touch." O executivo olhou para mim, sorriu e respondeu: "Disso eu não tenho a menor dúvida." E foi só. O assunto morreu aí.

O executivo da Apple não estava abalado pelo fato de a Microsoft ter um produto melhor. Talvez ele só estivesse exibindo a arrogância de um líder que domina o mercado. Talvez só estivesse fazendo uma encenação (muito boa, por sinal). Ou talvez houvesse outra coisa em jogo. Embora eu não soubesse na época, sua resposta tinha sido alinhada à de um líder com mentalidade infinita.

Os benefícios da mentalidade infinita

No Jogo Infinito, o verdadeiro valor de um negócio não pode ser medido pelo sucesso que conquistou com base num conjunto de métricas arbitrárias em períodos arbitrários. O verdadeiro valor de uma empresa é medido pelo desejo que outros têm de contribuir para que ela continue a ter sucesso, não apenas durante o tempo em que eles (os membros da empresa) ainda estão aqui, mas bem além de sua presença. Enquanto um líder com mentalidade finita trabalha para obter de seus funcionários, clientes e acionistas algo que os faça atingir métricas arbitrárias, o líder com mentalidade infinita trabalha para garantir que seus funcionários, clientes e acionistas continuem inspirados a continuar contribuindo com seu esforço, suas carteiras e seus investimentos. Jogadores com mentalidade infinita querem deixar suas organizações em melhor situação do que aquela em que as encontraram. A Lego inventou um brinquedo que resistiu ao teste do tempo não porque teve sorte, mas porque quase todos que lá trabalham querem fazer coisas que assegurem que a companhia sobreviva. Seu impulso motor não é ganhar o trimestre, mas "continuar a criar experiências de brincar inovadoras e alcançar mais crianças a cada ano".[3]

Segundo Carse, líderes de mentalidade finita desejam que o jogo acabe – e desejam vencer. E, se querem ser os vencedores, alguém terá que ser o perdedor. Eles jogam para si mesmos e querem derrotar os outros participantes. Fazem cada plano e cada movimento pensando em vencer. Quase sempre acreditam que *precisam* agir assim, apesar de, na verdade, não precisarem. Não há regras dizendo como eles têm que agir. É sua mentalidade que os direciona.

Os que têm mentalidade infinita de Carse querem continuar jogando. Nos negócios, isso significa criar uma organização que possa sobreviver a seus líderes. Na expectativa de Carse, ele deseja o bem do jogo. Nos negócios, isso quer dizer enxergar além da lucratividade. Enquanto o jogador de mentalidade finita faz produtos que considera vendáveis, o de mentalidade infinita cria produtos que as pessoas queiram comprar. O primeiro está pensando em como a venda desses produtos vai beneficiar a empresa, enquanto o segundo está pensando em como os produtos vão beneficiar seus clientes.

Jogadores de mentalidade finita tendem a seguir padrões que os ajudem a alcançar seus objetivos pessoais sem atentar para os efeitos que possam causar. Perguntar "O que é melhor para mim?" é um modo finito de pensar. Já perguntar "O que é melhor para nós?" é um modo de pensar infinito. Uma empresa construída para o Jogo Infinito pensa de modo infinito. Considera o impacto de suas decisões em seu pessoal, em sua comunidade, na economia, em seu país e no mundo. Faz essas coisas para o bem do jogo. George Eastman, fundador da Kodak, dedicou-se à missão de tornar a fotografia acessível a todos. Reconheceu também que perseguir essa missão estava intimamente ligado ao bem-estar de seus funcionários e da comunidade. Em 1912, a Kodak foi a primeira empresa a pagar dividendos baseados no seu desempenho, e vários anos depois lançou o que hoje conhecemos como opção de compra de ações.[4] Também ofereceu a seus funcionários um generoso pacote de benefícios, além de auxílio-doença (uma novidade na época) e bolsas de estudo para funcionários que estudassem em faculdades locais. (Tudo isso foi adotado por muitas outras empresas. Em outras palavras, não era bom somente para a Kodak, era bom para o jogo dos negócios.) Em acréscimo às dezenas de milhares de empregos que a Kodak provia, Eastman construiu um hospital, criou uma escola de música e fez generosas doações para instituições de ensino superior, entre elas o Mechanics Institute of Rochester (mais tarde renomeado como Rochester Institute of Technology) e a Universidade de Rochester.

Por trabalharem com um objetivo final em mente, explica Carse, jogadores de mentalidade finita não gostam de surpresas e temem todo tipo de disrupção. Tudo aquilo que não são capazes de prever ou controlar pode comprometer seus planos e aumentar as chances de derrota. O jogador de mentalidade infinita, no entanto, espera surpresas, até se alegra com elas, e está preparado para as mudanças. Abraça a liberdade do jogo e está aberto a qualquer possibilidade que o mantenha nele. Em vez de buscar meios para reagir ao que já aconteceu, busca novos caminhos. Uma perspectiva infinita nos libera de nos fixarmos no que outras empresas estão fazendo, o que permite que nos foquemos numa visão mais ampla. Em vez de reagir a como uma nova tecnologia vai desafiar o atual modelo de negócios, por exemplo, as pessoas de mentalidade infinita são mais capacitadas a prever as aplicações dessa nova tecnologia.

Hoje é fácil ver por que o executivo da Apple com quem dividi um táxi pôde ser tão indiferente em relação ao bem projetado Zune da Microsoft. Ele compreendia que no Jogo Infinito dos negócios às vezes a Apple teria o melhor produto, às vezes outra empresa teria o melhor produto. A Apple não estava tentando superar a Microsoft; na verdade, estava tentando superar a si mesma. Seus olhos estavam voltados para o futuro, para o que viria depois do iPod. A mentalidade infinita da Apple a ajudava a pensar não fora da caixa, mas para além dela. Cerca de um ano após o Zune ter sido apresentado, a Apple lançou o primeiro iPhone. O iPhone redefiniu toda a categoria dos smartphones e tornou tanto o Zune quanto o iPod obsoletos. Embora algumas pessoas acreditassem que a Apple era capaz de prever as preferências do consumidor e enxergar o futuro, não é bem assim. Foi sua perspectiva infinita que abriu o caminho para a empresa inovar de um modo que companhias com lideranças de mentalidade finita simplesmente não eram capazes de empreender.

Uma companhia de mentalidade finita pode descobrir maneiras "inovadoras" de aumentar a lucratividade, mas tais decisões não costumam beneficiar a empresa, os funcionários, os clientes e a comunidade — os fatores que existem além do conceito de lucratividade. Nem a deixam necessariamente numa situação melhor para o futuro. O motivo é simples: essas decisões tendem a ser tomadas primordialmente para o benefício das pessoas que as tomam, e não com o futuro infinito em mente... apenas o futuro imediato. Já os líderes de mentalidade infinita não pedem a seus colaboradores que estabeleçam objetivos finitos; eles pedem que os ajudem a imaginar um modo de avançar em direção a uma visão infinita do futuro que beneficie todos. Os objetivos finitos se tornam demarcações do progresso em direção a essa visão. E, quando todos se concentram na visão infinita, isso impulsiona não só a inovação como os lucros. De fato, companhias com líderes de mentalidade infinita frequentemente usufruem de lucros que batem recordes. Além disso, a inspiração, a inovação, a cooperação, a lealdade à marca e os lucros que resultam de uma liderança com mentalidade infinita servem à empresa não apenas em tempos de estabilidade, mas também nos de instabilidade. As mesmas características que ajudam a empresa a sobreviver e prosperar durante os tempos de calmaria ajudam a torná-la forte e resiliente em tempos difíceis.

Uma companhia construída para ser resiliente é uma companhia estruturada para durar para sempre. Isso é diferente de ser estável. A estabilidade, por definição, tem a ver com continuar a ser o mesmo. Uma empresa estável pode, teoricamente, passar por uma tempestade e sair dela sendo a mesma de antes. Em termos mais práticos, quando uma companhia é descrita como estável, isso comumente representa um contraste em relação a outra companhia, que corre mais riscos e tem desempenho mais alto. "Crescimento lento, porém estável" é o que se tem em mente. Mas uma empresa construída para ser estável não consegue entender a natureza do Jogo Infinito, pois é provável que não esteja preparada para o imprevisível – para a nova tecnologia, o novo concorrente, a mudança no mercado ou eventos globais capazes de, num instante, destruir qualquer estratégia. Um líder de mentalidade infinita não quer simplesmente que sua empresa seja capaz de enfrentar uma mudança, e sim que seja capaz de se transformar com ela. Quer uma empresa que acolha surpresas e consiga se adaptar. Empresas resilientes podem sair de uma crise completamente transformadas (e muitas vezes ficam gratas por essa transformação).

A Victorinox, empresa suíça que criou o famoso canivete do Exército suíço, viu seu negócio ser dramaticamente afetado pelos eventos do 11 de Setembro. Esse objeto, antes tão comum como brinde corporativo e presente oferecido em aposentadorias, aniversários e formaturas, de repente foi banido das bagagens de mão. Enquanto a maior parte das empresas teria adotado uma postura defensiva –

focada no golpe sofrido e em quanto isso iria custar –, a Victorinox assumiu a ofensiva. Ela acolheu a mudança como uma oportunidade rara, não uma ameaça – algo característico de jogadores de mentalidade infinita. Em vez de promover um oneroso corte em sua força de trabalho, os líderes da Victorinox pensaram em formas inovadoras de manter seus funcionários (não houve nenhuma demissão), investiram mais no desenvolvimento de novos produtos e inspiraram seu pessoal a imaginar como alavancar a marca em novos mercados.

Durante os tempos de calmaria, a Victorinox acumulou um bom fundo de reserva de caixa, sabendo que em algum momento tempos difíceis chegariam.[5] Como disse seu CEO Carl Elsener: "Quando você observa a história da economia mundial, vê que sempre foi assim. Sempre! E no futuro continuará sendo assim. Nunca se estará sempre subindo. Nunca se estará sempre descendo. Vai subir e descer, subir e descer. [...] Não pensamos em termos de trimestres. Pensamos em gerações." Esse tipo de pensamento infinito pôs a Victorinox numa posição em que está, filosófica e financeiramente, preparada para enfrentar o que para outra companhia seria uma crise fatal. E o resultado foi espantoso. A Victorinox é hoje uma empresa diferente e mais forte do que era antes do 11 de Setembro. Canivetes e facas representavam 95% das vendas totais da companhia (só os canivetes suíços respondiam por 80%). Hoje, os canivetes suíços representam apenas 35% da receita total, mas a venda de equipamentos de viagem, relógios e perfumes ajudou a Victorinox a duplicar sua receita desde o 11 de Setembro. A Victorinox não é uma empresa estável, é uma empresa resiliente.

Os benefícios de jogar com uma mentalidade infinita são claros e multifacetados. Mas o que acontece quando jogamos com uma mentalidade finita o Jogo Infinito dos negócios?

Os prejuízos de uma mentalidade finita num jogo infinito

Décadas após a Guerra do Vietnã, Robert McNamara, secretário de Defesa dos Estados Unidos durante a guerra, teve a oportunidade de se encontrar com Nguyen Co Thach, especialista-chefe em Estados Unidos no Ministério das Relações Exteriores norte-vietnamita de 1960 a 1975. McNamara ficou pasmo ao ver em que medida seu país tinha se enganado na tentativa de compreender o inimigo. "Vocês com certeza nunca abriram um livro de história", contou McNamara, repetindo o que Thach dissera. "Se tivessem lido, saberiam que não fomos peões dos chineses ou dos russos. [...] Nós lutamos contra os chineses durante mais de mil anos!", continuou Thach. "Estávamos lutando por nossa independência! E lutaríamos até o último homem! E nenhum bombardeio, nenhuma pressão do seu país, nada nos deteria!"[6] Os norte-vietnamitas estavam participando de um jogo infinito com uma mentalidade infinita.

Os Estados Unidos supuseram que a Guerra do Vietnã era finita porque a maioria das guerras *é* finita. Normalmente há uma tomada de território ou a conquista de outro objetivo facilmente mensurável como finito. Se os combatentes entram na guerra com objetivos políticos claros, quem atingir seu objetivo finito primeiro será declarado vencedor, um tratado será assinado e a guerra terminará. Mas nem sempre esse é o caso. Se os líderes americanos tivessem prestado mais atenção, talvez tivessem reconhecido mais cedo a verdadeira natureza da Guerra do Vietnã. Havia pistas por toda parte.

Para começar, não há um começo, um meio e um fim claros no envolvimento americano no Vietnã. Também não havia um objetivo político claro que, quando alcançado, permitiria aos Estados Unidos declarar vitória e retirar suas tropas. E, mesmo que o fizessem, os norte-vietnamitas não aceitariam a derrota. Os americanos tampouco entenderam contra quem estavam lutando. Acreditavam que o conflito no Vietnã era uma guerra por procuração contra a China e a União Soviética. Mas os norte-vietnamitas acreditavam ardentemente que não eram fantoches de nenhum outro governo. O Vietnã vinha lutando contra a influência imperialista havia décadas: contra os japoneses durante a Segunda Guerra Mundial, depois contra a França. Para os norte-vietnamitas, a guerra contra os Estados Unidos não era uma extensão da Guerra Fria, era uma luta contra outro poder intervencionista. Até mesmo o modo como os vietcongues combatiam – sua propensão a desobedecer às convenções da guerra tradicional e sua disposição para continuar a lutar não importando quantas baixas tivessem – deveria ter sinalizado para os Estados Unidos que tinham avaliado mal a natureza daquele jogo.

Quando estamos em um jogo infinito com uma mentalidade finita, as chances de nos encontrarmos num atoleiro aumentam, fazendo-nos esgotar rapidamente a vontade e os recursos que temos para nos mantermos no jogo.

E foi isso que aconteceu com os Estados Unidos no Vietnã. Eles agiram como se o jogo fosse finito, em vez de lutar contra um jogador que tinha a mentalidade correta no Jogo Infinito em que estavam inseridos. Enquanto os americanos jogavam para "vencer", os norte-vietnamitas lutavam por suas vidas! E ambos os lados fizeram escolhas estratégicas de acordo com a mentalidade de cada um. Apesar da superioridade militar, simplesmente não havia como os Estados Unidos vencerem. O que pôs um fim ao envolvimento americano no Vietnã não foi uma vitória ou uma derrota militar ou política, mas a pressão da opinião pública. O povo americano não podia mais suportar uma guerra dispendiosa e aparentemente impossível de vencer num país distante. Os Estados Unidos simplesmente exauriram sua vontade e seus recursos para continuar jogando… e foram obrigados a abandonar o jogo.

O atoleiro vietnamita nos negócios

Quando a Microsoft lançou o Zune, não havia uma grande visão do que o produto estava ajudando a realizar. Eles não estavam pensando quais seriam as possibilidades que o futuro poderia trazer. Era apenas uma competição por mercado e dinheiro – na qual a Microsoft não estava se saindo muito bem. A previsão de Ballmer de que o Zune "superaria" o iPod não poderia estar mais errada. Começando com uma participação de 9% no mercado, a popularidade do Zune declinou continuamente até chegar a 1% em 2010. No ano seguinte, o produto foi descontinuado. O iPod, em contrapartida, obteve uma fatia de cerca de 70% do mercado no mesmo período.[7]

Houve quem alegasse que o Zune fracassou porque a Microsoft não investiu o bastante em publicidade. Mas essa teoria não se sustenta. Spanx, Sriracha e GoPro são três empresas que se baseiam no boca a boca para aumentar sua percepção de marca.[8] As três não só emergiram da obscuridade sem a publicidade tradicional como continuaram a prosperar sem ela. Outros sugerem que o Zune fracassou porque a Microsoft entrou tarde demais no mercado de MP3 players. Essa teoria não se sustenta, assim como a primeira. A Apple lançou o iPod cinco anos depois de os MP3 players já serem uma categoria de produto conhecida. Marcas como Rio, Nomad e Sony já estavam apostando na tecnologia e vendendo bem. E mais: quatro anos após seu lançamento em 2001, o iPod havia dominado o mercado de reprodutores de música digital nos Estados Unidos... e seus números continuavam a subir.[9]

Por maior que o Zune da Microsoft possa ter sido, o problema não foi o design, o marketing nem o timing. É preciso mais do que essas coisas para sobreviver e progredir no Jogo Infinito dos negócios. Grandes produtos fracassam o tempo todo. É importante considerar também como a empresa é conduzida. Ao priorizar a competição e a meta de vencer acima de tudo, líderes de mentalidade finita vão estabelecer estratégias corporativas e de produto, estruturas de incentivos e contratações que ajudem a alcançar tais objetivos finitos. E, com uma mentalidade finita entrincheirada em quase todos os aspectos da empresa, o resultado é uma visão limitada que impulsiona quase todos a focar em excesso no que é urgente em detrimento do que é importante. Por instinto, executivos começam a reagir a fatores conhecidos em vez de explorar possibilidades desconhecidas. E em alguns casos esses líderes podem ficar tão obcecados com o que a concorrência está fazendo, acreditando erroneamente que precisam reagir a cada movimento dela, que ficam cegos a todo um acervo de opções melhores para fortalecer a própria organização. É como tentar ganhar jogando só na defesa. Seduzida por uma mentalidade finita, a Microsoft se viu envolvida num interminável jogo de gato e rato.

Os líderes da Microsoft falharam ao não perceber o Jogo Infinito em que estavam inseridos nem a mentalidade infinita com que a Apple estava jogando. Steve Ballmer às vezes falava de uma "visão" e de "longo prazo", mas, tal como outros líderes de mentalidade finita que usam esse tipo de linguagem infinita, quase sempre fazia isso no contexto finito de uma competição por status, desempenho das ações, participação no mercado e dinheiro. Ignorando o jogo no qual estava inserida, a Microsoft perseguia um objetivo impossível: "vencer". Desperdiçando a vontade e os recursos necessários para se manter no jogo – como os Estados Unidos no Vietnã –, a Microsoft se viu num atoleiro.

Parece que a empresa de Bill Gates não aprendeu sua lição com o iPod. Quando o iPhone surgiu em 2007, a reação de Ballmer revelou sua perspectiva finita. Questionado sobre o iPhone numa entrevista, ele debochou: "Não há possibilidade de o iPhone ter qualquer participação significativa no mercado. Nenhuma possibilidade. [...] Eles devem conseguir muito dinheiro. Mas, se você olhar para o 1,3 bilhão de celulares vendidos, prefiro ter nosso software em 60%, 70% ou 80%

deles a ter 2% ou 3%, que é o que a Apple pode ter."[10] Limitado por uma mentalidade finita, Ballmer focava nos números relativos que o iPhone seria capaz de alcançar, em vez de tentar ver como aquele produto poderia alterar todo o mercado… ou até mesmo redefinir completamente o papel que os celulares desempenham em nossa vida. Numa reviravolta que deve ter deixado Ballmer louco, em apenas cinco anos as vendas do iPhone eram mais altas do que a de todos os produtos da Microsoft juntos.[11]

Em 2013, em sua última coletiva de imprensa como CEO da Microsoft, Steve Ballmer resumiu sua carreira com a mais finita das mentalidades. Definiu o sucesso com base em parâmetros e períodos que ele mesmo selecionou de sua permanência no cargo. "Nos últimos cinco anos, a Apple provavelmente fez mais dinheiro do que nós", disse. "Mas, nos últimos treze anos, aposto que fizemos mais dinheiro do que qualquer empresa no planeta. E isso, francamente, é uma grande fonte de orgulho para mim."[12] Ballmer estava dando a entender que nos treze anos de sua liderança a Microsoft tinha "vencido". Imagine como essa coletiva de imprensa poderia ter sido diferente se, em vez de recapitular uma série de resultados financeiros, Ballmer compartilhasse todas as coisas que a Microsoft ainda poderia fazer para que alcançasse a visão infinita original de Bill Gates: "Empoderar toda pessoa e toda organização no planeta para que alcancem mais."

Um líder com mentalidade finita usa o desempenho da empresa para demonstrar o valor da própria carreira. Um líder de mentalidade infinita usa sua carreira para aumentar o valor da empresa a longo prazo… e apenas parte desse valor se mede em dinheiro. O jogo não terminou só porque Ballmer se retirou dele. A Microsoft continuou a jogar sem ele. No Jogo Infinito, o resultado em termos financeiros é menos relevante do que deixar a empresa adequadamente preparada para sobreviver aos próximos 13 anos. Ou 33. Ou 300. E, por esse critério, Ballmer perdeu.

No Jogo Infinito dos negócios, quando os líderes mantêm uma mentalidade finita, ou põem muito de seu foco em objetivos finitos, talvez sejam capazes de obter o primeiro lugar segundo uma métrica arbitrária num período arbitrário. Mas isso não significa necessariamente que estão fazendo aquilo que precisam para assegurar que sua empresa continue jogando pelo maior tempo possível. Na verdade, muitas vezes as coisas que estão fazendo prejudicam os processos internos da empresa e, se não houver intervenção, aceleram seu fim.

Como os líderes de mentalidade finita põem um foco desequilibrado nos resultados a curto prazo, frequentemente empregam qualquer estratégia ou tática que os ajude a manter esses números. Algumas de suas opções favoritas incluem reduzir investimentos em pesquisa e desenvolvimento, um corte extremo nos custos (por exemplo, rodadas constantes de demissões, opção por ingredientes mais baratos e de menor qualidade nos produtos, manipulação no processo de fabricação ou no controle de qualidade) e crescer mediante aquisição e recompra de ações. Essas decisões podem, por outro lado, abalar os valores da empresa. As pessoas começam a se dar conta de que nada nem ninguém está seguro. Em resposta, alguns passam, instintivamente, para o modo de autopreservação. São capazes de reter informações, esconder erros e operar de maneira mais cautelosa, evitando correr riscos. Para se proteger, não confiam em ninguém. Outros apostam na mentalidade "apenas os melhores sobrevivem". Suas táticas podem se tornar extremamente agressivas. Seu ego fica descontrolado. Eles aprendem a manipular a hierarquia para serem bem-vistos pela liderança enquanto, em alguns casos, sabotam os próprios colegas. Independentemente de estarem num modo de autopreservação ou autopromoção, a soma de todos esses comportamentos contribui para um declínio geral da cooperação em toda a empresa, o que também leva à estagnação de quaisquer ideias realmente inovadoras. Foi isso o que aconteceu na Microsoft.

Desgastada pelo jogo finito, a Microsoft ficou obcecada por números trimestrais.[13] Muitos dos funcionários que trabalhavam na empresa desde o início lamentaram a perda de inspiração, imaginação e inovação. Confiança e cooperação sofreram quando grupos internos de desenvolvimento de produtos começaram a brigar entre si em vez de se apoiarem. E, como se as grandes empresas já não sofressem bastante com departamentos completamente isolados, as divisões da Microsoft começaram a trabalhar ativamente para derrotarem umas às outras. De um lugar que atraía pessoas para empreenderem uma cruzada, passou a ser um lugar que as pessoas melhores e mais esclarecidas evitavam como uma praga. Uma empresa que costumava ser "uma enxuta máquina competitiva liderada por jovens visionários e talentosos", como descreveu a revista *Vanity Fair*, "transformou-se em algo inflado e dominado pela burocracia, com uma cultura interna que mesmo sem intenção premiava gerentes que cerceavam ideias inovadoras que poderiam ameaçar a ordem já estabelecida".[14] Em outras palavras, uma mentalidade finita fez com que a cultura da empresa virasse uma confusão.

Pode levar muito tempo até que empresas muito grandes com um líder de mentalidade finita ao leme esgotem a vontade e os recursos acumulados pelo líder de mentalidade infinita que o precedeu. Sob Ballmer, a Microsoft ainda era um jogador dominante, especialmente em mercados de negócios. Isso graças, em grande parte, aos fundamentos lançados pelo líder de mentalidade "mais infinita", Bill Gates. Entretanto, se Ballmer tivesse continuado, ou fosse substituído por outro líder de mentalidade finita, a vontade das pessoas de continuar dando o seu melhor e os recursos de que a empresa ia precisar para continuar no jogo teriam posteriormente se esgotado. Só porque uma empresa é grande e teve sucesso financeiro não significa que é forte o bastante para perdurar.

A experiência da Microsoft não é única. A história dos negócios está cheia de relatos semelhantes. A obsessão da General Motors por sua fatia de participação no mercado e pela lucratividade, por exemplo, teria acabado com ela se não fosse a intervenção do governo dos Estados Unidos. Sears, Circuit City, Lehman Brothers, Eastern Airlines e Blockbuster Video não tiveram tanta sorte. São apenas alguns exemplos de empresas que já foram fortes e bem estabelecidas e cujos líderes foram seduzidos pelo frêmito de participar do jogo com uma mentalidade finita, que acabou levando-as a sua destruição.

Infelizmente, ao longo dos últimos trinta ou quarenta anos, lideranças de mentalidade finita se tornaram o padrão moderno nos negócios. A liderança de mentalidade finita é endossada por Wall Street e ensinada em escolas de administração. Ao mesmo tempo, as empresas parecem estar morrendo cada vez mais rápido. Segundo um estudo da McKinsey, a vida média de uma empresa que consta no índice Standard & Pool's 500 caiu mais de quarenta anos desde a década de 1950, de uma média de 61 anos para menos de 18 anos hoje.[15] E, segundo o professor Richard Foster, da Universidade Yale, a taxa de mudança está num "ritmo mais rápido do que nunca".[16] Sei que existem múltiplos fatores que contribuem para esses números, mas temos que considerar que hoje em dia há muitos líderes criando empresas que simplesmente não são feitas para durar. Isso é irônico, porque até mesmo os líderes de mentalidade finita com maior foco em cumprir objetivos devem concordar que quanto mais tempo uma empresa sobreviver e prosperar, mais provável será que atinja *todos* os seus objetivos.

Não apenas companhias são impactadas por uma liderança com mentalidade excessivamente finita. Com mais pensadores com ideias finitas em posições de poder em todos os aspectos da vida, há uma crescente pressão para mudar políticas públicas para que sejam regidas cada vez mais por essa mentalidade finita. E não levará muito tempo até termos toda a economia operando nos limites de uma mentalidade finita, jogando pelas regras de um jogo em que não estamos inseridos. É uma situação insustentável, e os dados refletem isso. Após a quebra da bolsa de Nova York em 1929, que levou à Grande Depressão, foi promulgada a Lei Glass-Steagall para conter alguns dos comportamentos corporativos de mentalidade mais finita, que foram a causa da instabilidade dos mercados naquela época.[17] Entre o momento em que a lei foi aprovada e as décadas de 1980 e 1990, quando foi praticamente esvaziada em nome da abertura dos mercados financeiros, o número de quebras de bolsas registrado foi zero. Desde o fim da Lei Glass-Steagall, tivemos três: a Segunda-Feira Negra em 1987, o estouro da bolha da internet em 2000 e a crise financeira de 2008.

Quando jogamos com uma mentalidade finita no Jogo Infinito, continuamos a tomar decisões que sabotam nossas ambições. É como comer sobremesas demais para "aproveitar a vida" e acabar diabético. Criar condições para uma quebra da bolsa de valores é um exemplo extremo do que acontece quando muitos jogadores optam por jogar com mentalidade finita. O cenário mais provável é um declínio geral na confiança, na cooperação e na inovação dentro das empresas, e tudo isso faz ficar ainda mais difícil sobreviver e prosperar num mundo dos negócios que está sempre em transformação. Se acreditamos que confiança, cooperação e inovação têm importância nas perspectivas de longo prazo de nossas empresas, só temos uma escolha: aprender como se joga com uma mentalidade infinita.

Lidere com uma mentalidade infinita

Há três fatores que sempre temos que considerar ao decidir como queremos liderar:

1. Não temos como decidir se um determinado jogo é finito ou infinito.
2. Podemos optar se queremos ou não entrar no jogo.

3. Se optarmos por entrar no jogo, podemos escolher se queremos jogar com mentalidade finita ou infinita.

Num jogo finito, seguimos as regras para aumentar nossa chance de vencer. Não adianta nos prepararmos para uma partida de basquete se vamos jogar futebol. O mesmo vale se decidimos ser um líder num jogo infinito. Teremos mais probabilidade de sobreviver e prosperar se participarmos do jogo em que estamos inseridos.

A escolha de liderar com mentalidade infinita está menos para jogar futebol e mais para a decisão de entrar em forma. Não existe uma ação única que se possa fazer para entrar em forma; não podemos simplesmente ficar nove horas na academia e esperar bons resultados. No entanto, se formos à academia todo santo dia por vinte minutos, com certeza vamos entrar em forma. A regularidade é mais importante do que a intensidade. O problema é que ninguém sabe exatamente quando veremos esses resultados. Pessoas diferentes vão ver resultados em tempos diferentes, mas todos sabemos, com 100% de certeza, que isso vai funcionar. E, embora possamos ter objetivos finitos quanto a estar em forma, se quisermos ser realmente saudáveis, o estilo de vida que adotarmos importa mais do que o fato de termos ou não atingido nosso objetivo quanto aos dados arbitrários que estabelecemos. Em qualquer estilo de vida saudável, há certas coisas que precisamos fazer: comer mais verduras e legumes, nos exercitar regularmente e dormir bem, por exemplo. Adotar uma mentalidade infinita é exatamente a mesma coisa.

Todo líder que quiser adotar uma mentalidade infinita precisa seguir cinco práticas essenciais:

- Promova uma Causa Justa
- Tenha Equipes de Confiança
- Estude Rivais Dignos

- Prepare-se para a Flexibilidade Existencial
- Demonstre Coragem para Liderar

Ao adotar um estilo de vida saudável, podemos optar por seguir apenas algumas das práticas – fazer exercícios e nunca comer vegetais, por exemplo. Se optarmos por essa abordagem, obteremos alguns benefícios, mas só vamos usufruir de todos eles se seguirmos todas as práticas. Da mesma forma, haverá benefícios por se seguir algumas das práticas necessárias para um pensamento infinito. No entanto, para preparar uma empresa para uma vida longa e saudável no Jogo Infinito, temos que seguir todas elas.

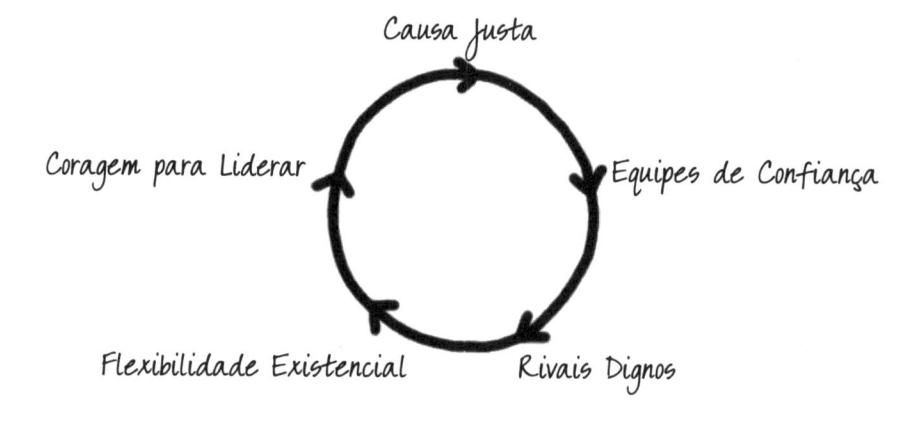

Diagrama circular com os elementos: Causa Justa, Equipes de Confiança, Rivais Dignos, Flexibilidade Existencial, Coragem para Liderar.

Manter uma mentalidade infinita é difícil. *Muito* difícil. É de se esperar que nos desviemos do rumo. Somos humanos e somos falíveis. Somos sujeitos a acessos de ganância, medo, ambição, ignorância, pressão externa, interesses em conflito, ego... e a lista continua. Para complicar mais ainda, os jogos finitos são atraentes; eles podem ser divertidos, às vezes até viciantes. Como em jogos de azar, cada vitória, cada objetivo alcançado libera uma descarga de dopamina em nosso corpo, estimulando-nos a jogar da mesma maneira novamente. A tentar ganhar novamente. Temos que ser fortes para resistir a esse impulso.

Não podemos esperar que nós ou *qualquer* líder ajamos com uma mentalidade infinita perfeita, ou que *qualquer* líder com mentalidade infinita seja capaz de manter essa mentalidade o tempo todo. Assim como é mais fácil focar num objetivo fixo e definido do que numa visão infinita do futuro, é mais fácil liderar uma empresa com uma mentalidade finita, especialmente em tempos difíceis. Realmente, cada um dos exemplos que citei neste capítulo, inclusive os afirmativos, foi, a certa altura de sua história, liderado por alguém que abandonou o fundamento infinito que constitui a base da construção da empresa para focar em propósitos finitos. Factualmente, a mentalidade finita quase destruiu todas essas organizações. Somente as mais sortudas, que foram resgatadas por um líder de mentalidade infinita, continuaram, para se tornarem versões mais fortes de si mesmas, mais inspiradoras para seus funcionários e mais atraentes para as pessoas que compram seus produtos.

Independentemente de como optamos por jogar, é essencial que sejamos honestos com nós mesmos e com os outros quanto a nossa opção – porque nossa opção tem consequências. Apenas quando aqueles que estão a nossa volta (nossos colegas, clientes e investidores) souberem como optamos por jogar é que poderão ajustar suas expectativas e se comportar de acordo. Somente quando souberem que mentalidade adotamos é que poderão imaginar as implicações para eles no curto e no longo prazos. Eles precisam saber como vamos jogar para tomar decisões mais astuciosas sobre as empresas para as quais querem trabalhar, das quais querem comprar ou em que querem investir. Quando virem que adotamos as cinco práticas de um líder com mentalidade infinita, poderão ficar confiantes de que estamos focados na direção para onde estamos indo e comprometidos a cuidar um do outro ao longo do caminho. Também poderão confiar que vamos nos esforçar para resistir às tentações do curto prazo e agir eticamente enquanto construímos nossa organização para que sobreviva e prospere por muito tempo.

Quanto a nós, que optamos por adotar uma mentalidade infinita, nossa jornada nos levará a nos sentirmos inspirados a cada manhã, seguros quando estamos no trabalho e realizados no final do dia. E, quando chegar o momento de abandonar o jogo, vamos olhar para trás, para nossa vida e nossa carreira, e dizer: "Vivi uma vida que vale a pena ser vivida." E, o mais importante, quando imaginarmos o que o futuro nos reserva, veremos quantas pessoas inspiramos a fazer sua jornada conosco.

Capítulo 2

CAUSA JUSTA

Primeiro eles comeram os animais do jardim zoológico. Depois, comeram seus gatos e cães. Alguns até recorreram a uma pasta feita de papel de parede e couro cozido. Depois, o inimaginável. "Uma criança morreu, tinha só 3 anos", escreveu Daniil Granin, um dos sobreviventes. "A mãe pôs o corpo entre os vidros da janela de vidraça dupla e todo dia cortava um pedaço para alimentar seu outro filho."[1]

Essas foram algumas das atitudes extremas a que o povo de Leningrado chegou durante os quase novecentos dias de cerco nazista, de setembro de 1941 a janeiro de 1944. Mais de 1 milhão de cidadãos, entre eles 400 mil crianças, morreram, muitos de fome. Ao mesmo tempo, sem o conhecimento das massas, um esconderijo com centenas de milhares de sementes e toneladas de tomates, arroz, nozes e cereais jazia no coração da cidade.

Cerca de 25 anos antes do início do cerco, um jovem botânico chamado Nikolai Vavilov começou sua coleção de sementes. Tendo crescido num tempo em que a Rússia foi assolada por períodos de grande fome que tiraram a vida de milhões, ele desejava acabar com o problema e prevenir futuros desastres ecológicos. O que começara com idealismo tornou-se, posteriormente, uma causa à qual Vavilov dedicou grande parte da sua vida. Ele viajou pelo mundo para coletar vários tipos de alimento cultiváveis e para aprender mais sobre o que fazia com que alguns deles fossem mais resilientes do que outros. Não demorou muito e já tinha colecionado sementes de mais de 6 mil tipos de planta. Também começou a estudar genética e a fazer experiências no desenvolvimento de novas cepas capazes de resistir melhor a pestes ou doenças, de crescer mais rápido, resistir a condições climáticas desfavoráveis ou propiciar uma maior produção de alimentos. À medida que seu trabalho avançava, a missão de Vavilov, de possuir um banco de sementes, se materializava. Assim como fazemos backup de dados importantes caso nosso computador pife, Vavilov queria ter um backup de sementes de todos os alimentos do mundo caso alguma espécie se tornasse extinta ou incultivável devido a desastres naturais ou provocados pelo ser humano.

Tendo adquirido uma reputação sólida (e uma coleção de sementes ainda maior), em 1920 Vavilov se tornou o chefe do Departamento de Botânica Aplicada da Universidade de Leningrado. Com ajuda financeira do governo, ele conseguiu reunir uma equipe de cientistas para que se juntassem a seu trabalho e o ajudassem a levar adiante sua causa. Quando chegou à instituição, Vavilov escreveu: "Eu gostaria que o Departamento fosse uma instituição necessária, útil para todos. Gostaria de reunir a maior coleção de plantas cultiváveis do mundo inteiro, [organizá-la e] transformar o Departamento num tesouro de todas as safras e de outras floras." E, como todo bom visionário com mente infinita, ele concluiu: "O resultado é incerto. [...] Mas ainda assim quero tentar."[2]

Em dois anos, no entanto, as coisas mudaram. Josef Stalin tinha chegado ao poder e ninguém estava seguro. Nem mesmo o altamente respeitado Vavilov. Stalin é tido como responsável pela morte de mais de 20 milhões de pessoas de seu próprio povo no decurso de seu governo, que foi de 1922 até sua morte, em 1953. E, infelizmente, o cientista que tinha dedicado sua vida a ajudar seu país acabou sendo um dos alvos políticos de Stalin. Preso em 1940 sob a acusação forjada de espionagem, Vavilov foi submetido a mais de quatrocentas sessões de um interrogatório brutal, algumas com duração de treze horas, todas com a intenção de coagi-lo a confessar que era simpatizante de um movimento antistalinista. Mas Vavilov não era um homem fácil de derrubar, nem mesmo em condições tão extremas. Apesar dos melhores esforços de seus captores, Vavilov resistiu. Nunca confessou as falsas acusações contra ele. Porém, em 1943, com apenas 55 anos, o botânico e geneticista visionário que tinha dedicado toda a sua vida ao fim da fome morreu na prisão, de inanição.

Por ocasião da morte de Vavilov, o cerco de Leningrado estava em seu auge; lá, em plena zona de guerra, escondidos num prédio bem comum na praça de Santo Isaac, estavam os registros de todo o trabalho que a equipe de Vavilov tinha realizado e, é claro, sua inestimável coleção de sementes, que consistia agora em centenas de milhares de variedades de espécies alimentícias. Além do óbvio risco de ser bombardeada, a coleção também estava ameaçada por um surto de ratos na cidade (as pessoas, famintas, tinham comido todos os gatos, que em condições normais controlariam a população de ratos). Como se não bastasse, a coleção de Vavilov também chamara a atenção dos nazistas. Obcecado com eugenia e com a própria saúde, Hitler sabia qual era o valor de um banco de sementes e o quis para si mesmo e para a Alemanha. O problema foi que, embora Hitler soubesse de sua existência, nunca descobrira sua localização. Assim, encarregou um grupo em seu Exército de encontrá-lo.

Apesar das ameaças, e apesar de estar sujeita às mesmas penosas condições de todos os outros habitantes de Leningrado, a equipe de cientistas de Vavilov continuou a trabalhar durante o cerco. Por exemplo, eles se arriscaram a sair em pleno inverno para ressemear lotes secretos de batatas num campo próximo à linha de frente. Embora tivessem conseguido contrabandear parte de seu trabalho para fora da cidade, o resto foi mantido oculto e sob guarda. Os cientistas eram tão dedicados a essa visão de Vavilov que estavam dispostos a proteger o banco de sementes a qualquer custo. Mesmo se o preço fossem suas próprias vidas. No fim, cercados por centenas de milhares de sementes, toneladas de batata, arroz, nozes, cereais e outras espécies que se recusavam a comer, nove dos cientistas morreram de inanição.

Vavilov foi citado uma vez, ao falar de sua causa: "Iremos para a fogueira, vamos queimar, mas não abriremos mão de nossas convicções."[3] E os que se juntaram a ele nessa causa estavam mais do que inspirados por suas palavras. Eles as vivenciaram. A um dos sobreviventes, Vadim Lekhnovich, que ajudou a plantar as sementes de batata e manteve os brotos sob sua proteção enquanto tiros rasgavam o ar, perguntaram mais tarde sobre o fato de não terem comido a coleção. "Era difícil caminhar. Era insuportavelmente difícil levantar todas as manhãs, movimentar os braços e as pernas", disse ele, "mas não foi nada difícil resistir a comer a coleção. Pois era *impossível* [pensar em] comê-la. Tratava-se da causa de nossa vida, a causa da vida de meus camaradas".[4]

Os cientistas que levaram adiante o trabalho de Vavilov durante o cerco se sentiam parte de algo maior do que eles mesmos. Essa Causa Justa, "uma missão em prol de toda a humanidade", como acreditava Vavilov, deu a seu trabalho e a suas vidas um propósito e um significado que estava além de qualquer indivíduo ou das lutas muito reais que enfrentaram durante o cerco. Se tivessem se alimentado, ou mesmo alimentado as massas de famintos, isso teria sido uma solução finita para um problema finito. Mesmo que pudessem ajudar a prolongar a vida de algumas pessoas que teriam morrido de qualquer maneira, ou até salvar a vida de algumas delas, os cientistas estavam olhando para além do horizonte imediato. Não estavam pensando nas relativamente poucas vidas que poderiam salvar em Leningrado, estavam pensando num futuro no qual seu trabalho poderia salvar civilizações inteiras. Sua missão não era sobreviver ao cerco; eles estavam jogando para manter a continuidade da espécie humana pelo maior tempo possível.

O que é uma Causa Justa

O time de Howard na liga de beisebol infantil era um dos piores, se não o pior. Ao final de cada jogo perdido, o técnico dizia aos jogadores: "Não importa quem ganha e quem perde, o que importa é como jogamos." Nesse ponto, o precoce jovem Howard levantava a mão e perguntava ao técnico: "Então por que marcamos os pontos no placar?"

Quando jogamos um jogo finito, jogamos para ganhar. Mesmo quando o que se espera é apenas jogar bem e se divertir, ninguém joga para perder. A motivação para jogar um jogo infinito é completamente diferente – o objetivo não é ganhar, mas continuar jogando. É levar adiante algo maior que nós mesmos e nossa empresa. E qualquer líder que deseje liderar no Jogo Infinito tem que ter uma Causa Justa bem clara.

Uma Causa Justa é uma visão específica do futuro; uma visão tão atraente que as pessoas se disponham a fazer sacrifícios para ajudar a alcançá-la. Assim como no caso dos cientistas de Vavilov, o sacrifício que as pessoas estão dispostas a fazer pode ser o da própria vida. Mas não precisa ser. Pode ser abrir mão de um emprego com melhor remuneração para continuar numa empresa que atua em nome de uma causa na qual acreditamos. Pode significar trabalhar até tarde ou fazer frequentes viagens a trabalho. Embora talvez não gostemos dos sacrifícios que fazemos, a Causa Justa nos faz sentir que eles valem a pena.

"Ganhar" suscita em nós a empolgação temporária da vitória, um intenso mas fugaz impulso de autoconfiança. Nenhum de nós é capaz de sustentar o incrível sentimento de realização por ter alcançado aquele objetivo, ou pela promoção que obtivemos, ou na competição que vencemos no ano passado. Esses sentimentos já passaram. Para sentir isso novamente, temos que vencer de novo. No entanto, quando se trata de uma Causa Justa, um motivo para ir trabalhar que é maior do que qualquer ganho individual, nossos dias ganham mais significado e nos sentimos mais realizados. Sentimentos que se mantêm semana após semana, mês após mês, ano após ano. Numa empresa movida apenas pela mentalidade finita, podemos até gostar de nosso emprego em certos dias, mas provavelmente nunca vamos *amá-lo*. Se trabalharmos em um empreendimento que tem uma Causa Justa, podemos até gostar de nosso emprego em certos dias, mas sempre vamos amá-lo. Assim como nossos filhos: podemos até gostar mais deles em certos dias, mas os amamos todos os dias.

Uma Causa Justa não é o mesmo que um PORQUÊ. Um PORQUÊ vem do passado. É uma história de origem, uma declaração de quem somos – a soma total de nossos valores e nossas crenças. Uma Causa Justa tem a ver com o futuro. Define para onde estamos indo. Descreve o mundo no qual esperamos viver e que nos comprometemos a ajudar a construir. Todo mundo tem seu PORQUÊ (e todos podem descobrir qual é o seu PORQUÊ se decidirem desenterrá-lo), mas não necessariamente uma Causa Justa própria; nós podemos optar por nos juntarmos à de outra pessoa. De fato, podemos dar início a um movimento ou optar por aderir a um e fazer dele nosso também. Diferentemente de um PORQUÊ, que é individual e particular, podemos defender mais de uma Causa Justa. Nosso PORQUÊ é fixo e não pode ser mudado. Mas, como uma Causa Justa tem a ver com algo que ainda não foi construído, não sabemos a forma que vai assumir. Podemos trabalhar incansavelmente em sua construção pelo tempo que desejarmos e fazer constantes melhorias ao longo do caminho.

Pense no PORQUÊ como sendo as fundações de uma casa, o ponto de partida, que dá força e permanência a tudo que construímos sobre ele. Nossa Causa Justa é a visão ideal da casa que esperamos construir. Podemos trabalhar uma vida inteira para construí-la e ainda assim não chegar a completá-la. No entanto, os resultados de nosso trabalho vão ajudar a dar forma à casa. Ao passar da imaginação para a realidade, ela inspira mais pessoas a se juntar à Causa e a continuar o trabalho... para sempre. Por exemplo, meu PORQUÊ é inspirar as pessoas a fazerem o que as inspira, de modo que juntos possamos, um por um, mudar este mundo para melhor. Ele é unicamente meu. Minha Causa Justa é construir um mundo no qual a grande maioria das pessoas acorde inspirada, sinta-se segura no ambiente de trabalho e volte para casa realizada no fim do dia, e meu desejo é que o maior número possível de pessoas se junte a mim nessa Causa.

É a Causa Justa que dá significado a nosso trabalho e a nossa vida. Uma Causa Justa nos inspira a nos manter focados além das recompensas finitas e de ganhos individuais e provê o contexto para todos os jogos finitos que temos que jogar ao longo desse caminho. É o que nos inspira a querer continuar no jogo. Seja na ciência, na construção da nação ou nos negócios, líderes que querem que nos juntemos a eles em seu propósito infinito têm que nos oferecer, em termos claros, uma visão afirmativa e tangível do futuro ideal que estão imaginando.

Quando os Pais Fundadores dos Estados Unidos declararam sua independência da Grã-Bretanha, eles sabiam que um ato tão radical ia requerer uma declaração de Causa Justa. "Consideramos estas verdades evidentes por si mesmas, que todos os homens são criados iguais", escreveram na Declaração de Independência, "que são dotados pelo Criador de certos direitos inalienáveis, entre os quais estão a vida, a liberdade e a busca da felicidade...". A visão que eles apresentaram não era simplesmente a de uma nação definida por fronteiras, mas por um futuro definido por princípios de liberdade e igualdade. E, em 4 de julho de 1776, os 56 homens que assinaram essa visão concordaram em "empenhar mutuamente nossa vida, nossa fortuna e nossa sagrada honra". Essa perspectiva expressa quanto isso era importante para eles. Estavam dispostos a abrir mão da própria vida e de seus interesses finitos para levar adiante a ideia e os ideais infinitos de uma nova nação. Seu sacrifício, por sua vez, inspirou gerações subsequentes a abraçar a mesma Causa e a dedicar seu sangue, seu suor e suas lágrimas a continuar a levá-la adiante.

Sabemos que uma Causa é justa quando nos comprometemos com ela com a convicção de que outros assumirão nosso legado. Esse foi com certeza o caso dos fundadores dos Estados Unidos. E foi o caso de Nikolai Vavilov. A visão de Vavilov, de um mundo no qual populações inteiras, e aliás toda a humanidade, teriam sempre uma fonte de alimento, assegurando nossa sobrevivência o máximo possível, continua até hoje. Existem aproximadamente 2 mil bancos de sementes, espalhados por mais de cem países no mundo inteiro, que continuam o trabalho que Vavilov iniciou tantos anos atrás. O Svalbard Global Seed Vault, na Noruega, é um dos maiores. Localizado no Ártico, o Svalbard Vault estoca mais de 1 bilhão de sementes de aproximadamente 6 mil espécies de flora. Está lá para assegurar que a espécie humana tenha uma fonte de alimento no caso de um cenário catastrófico. Marie Haga, diretora executiva do Crop Trust, a organização formada em parceria com as Nações Unidas para apoiar o trabalho de bancos de sementes no mundo inteiro, considera Vavilov o fundador ostensivo da causa. "Um século após as primeiras jornadas [de Vavilov]", disse ela, "uma nova geração de dedicados apoiadores da biodiversidade continua a viajar pelo mundo para conservar não só o germoplasma, mas também o legado de Vavilov".[5]

Muitas das organizações para as quais trabalhamos já têm algum tipo declaração de propósito, visão ou missão (ou todas as opções anteriores) escrita nas paredes, com o objetivo de nos inspirar. No entanto, a grande maioria não seria qualificada como Causa Justa. No melhor dos casos, são apenas inócuas, e, no pior, indicam que devemos continuar jogando no reino do finito. Mesmo algumas das tentativas bem-

-intencionadas são descritas de modo finito, genérico, autocentrado ou vago demais para ser de qualquer uso no Jogo Infinito. Essas tentativas incluem declarações do tipo: "Fazemos aquilo que você não quer fazer, para que você possa se concentrar nas coisas que ama fazer." Pode ser uma declaração verdadeira, mas é verdadeira para coisas demais, especialmente num espaço de *business-to-business*. Além disso, não é muito inspiradora. Outra visão genérica seria: "Oferecer produtos da mais alta qualidade com o melhor preço possível, etc." Declarações como essa são de pouco uso para quem quer nos liderar no Jogo Infinito. Elas não são inclusivas. Na verdade, são egocêntricas – voltadas para a empresa: olham para dentro e não para um futuro para o qual os produtos ou serviços estejam contribuindo.

A Vizio, fabricante de televisores e alto-falantes da Califórnia, diz em seu site, por exemplo, que existe para "oferecer produtos de alto desempenho, mais inteligentes, com as mais recentes inovações e com significativa redução de custos que possa ser repassada a nossos clientes".[6] Acredito que eles fazem tudo isso mesmo. Mas essas palavras *realmente* inspiram pessoas a querer oferecer seu sangue, suor e lágrimas? Quando lê essas palavras, você fica inspirado a ir correndo conseguir um emprego lá? Poucos ficam arrepiados ou sentem um chamado visceral para fazer parte de algo assim. Esse tipo de declaração não nos oferece nem uma causa com a qual nos comprometermos nem uma percepção de para que aquilo serve, duas coisas que são essenciais num jogo infinito.

Resumindo: uma Causa Justa é uma visão específica de um futuro que ainda não existe. E, para que uma Causa Justa possa dar uma direção a nosso trabalho, nos inspirar a fazer sacrifícios e durar não só no presente mas por várias gerações, ela tem que preencher cinco condições. Aqueles que não tiverem certeza se sua declaração de propósito ou missão configura uma Causa Justa podem usar essas condições como diretrizes simples.

Uma Causa Justa tem que ser:

- **A favor de algo** – afirmativa e otimista
- **Inclusiva** – aberta a todos que queiram contribuir
- **Direcionada a prestar serviço** – para o benefício primário de outros
- **Resiliente** – capaz de resistir a mudanças políticas, tecnológicas e culturais
- **Idealista** – grande, ousada e inatingível

A favor de algo – afirmativa e otimista

Uma Causa Justa é algo no qual acreditamos e que defendemos, não algo ao qual nos opomos. Líderes podem mobilizar as pessoas *contra* alguma coisa com bastante facilidade. Podem até mesmo fazê-las odiar, já que nossas emoções se inflamam quando estamos com raiva ou com medo. Ser *a favor* de algo, em comparação, tem a ver com se sentir inspirado. Incita o espírito e nos enche de esperança e otimismo. Ser *contra* tem a ver com vilificar, demonizar ou rejeitar. Ser *a favor* tem a ver com como convidar todos a se juntarem numa causa comum. Ser *contra* foca nossa atenção nas coisas que estão diante de nossos olhos para suscitar reações. Ser *a favor* direciona nossa atenção para o futuro ainda distante para poder despertar nossa imaginação.

Imagine se em vez de lutar *contra* a pobreza, por exemplo, lutássemos *a favor* do direito de todo ser humano a prover subsistência a sua família. A primeira postura cria um inimigo comum, algo a que nos opomos. Configura a Causa como algo que podemos "vencer", como num jogo finito. Nos leva a acreditar que podemos derrotar a pobreza de uma vez por todas. A segunda nos fornece uma causa para levar adiante. O impacto das duas perspectivas é mais do que semântico. Afeta como encaramos o problema/a visão, o que, por sua vez, afeta nossas ideias quanto a como podemos contribuir. Enquanto a primeira nos apresenta um problema a ser resolvido, a segunda oferece uma visão de possibilidade, dignidade e empoderamento. Não ficamos inspirados a "reduzir" a pobreza, mas ficamos inspirados a "aumentar" o número de pessoas capazes de prover a si mesmas e às suas famílias. Entre ser a favor e ser contra há uma diferença sutil, porém profunda, que aqueles que escreveram a Declaração de Independência dos Estados Unidos entenderam intuitivamente.

Os que conduziram os Estados Unidos à independência estavam *contra* a Grã-Bretanha no curto prazo. Os colonos americanos sentiam-se profundamente ofendidos com o modo com que eram tratados pela Inglaterra. Mais de 60% da Declaração de Independência tratam de apresentar queixas específicas contra o rei. Contudo, a causa *a favor* da qual estavam lutando foi a verdadeira fonte de uma inspiração duradoura, e na Declaração de Independência ela está à frente de qualquer outra coisa. É a primeira ideia que lemos no documento. Estabelece o contexto para o resto do texto e a direção na qual seguir adiante. É o ideal com o qual nos identificamos pessoalmente e que facilmente perpetuamos na memória. Poucos americanos, a não ser eruditos e os historiadores mais zelosos, são capazes de repetir de cor até mesmo uma das reclamações listadas no documento, como: "Procurou impedir o povoamento destes estados, obstruindo para esse fim as leis de naturalização de estrangeiros, recusando promulgar outras que animassem as migrações para cá e complicando as condições para novas apropriações de terras." No entanto, a maioria dos americanos é capaz de recitar facilmente que "todos os homens são criados iguais", e comumente citar de cor os três princípios: "vida, liberdade e busca da felicidade". Essas palavras estão indelevelmente inseridas na cultura americana. Invocadas por patriotas e também por diversos políticos, elas lembram aos americanos o que eles se esforçaram para ser e os ideais sobre os quais foi fundada sua nação. Tais princípios falam sobre estar *a favor*.

Inclusiva – aberta a todos que queiram contribuir

Seres humanos querem se sentir parte de algo maior que nós mesmos. Almejamos o sentimento de pertencimento. Gostamos de sentir que pertencemos a um grupo, como quando vamos à igreja, assistimos a um desfile ou a um comício, ou quando usamos a camisa de nosso time num evento esportivo. Uma Causa Justa serve como um convite para se unir a outras pessoas com o objetivo de levá-la adiante. Quando as palavras da Causa Justa nos ajudam a imaginar uma visão alternativa, específica e positiva de futuro, elas agitam algo dentro de nós que nos faz querer lutar por ela.

Uma declaração de causa bem formulada nos inspira a apresentar nossas ideias, oferecer nosso tempo, nossa experiência, nossas mãos, qualquer coisa que possa ajudar a levar adiante sua nova visão de futuro. É assim que os movimentos nascem. Um movimento começa com poucas pessoas e, aos poucos, sua visão de futuro atrai mais e mais pessoas que acreditam nela. Esses primeiros adeptos não ganham nada; na verdade, estão ali para se doar. Querem ajudar. Querem desempenhar um papel na caminhada que avança para aquela nova versão de futuro. A Causa que os atraiu passa a ser deles também.

Organizações que simplesmente prometem "mudar o mundo" ou "provocar um impacto" estão nos dizendo muito pouco quanto ao que, especificamente, querem realizar. Os sentimentos são bons, porém genéricos demais para nos servirem como um filtro significativo. Como já foi abordado, uma Causa Justa é uma visão *específica* de um futuro que ainda não existe; um futuro tão atraente que muitos estão dispostos a fazer sacrifícios para ajudar a avançar em direção a essa visão. Chamamos isso de "visão" porque necessariamente precisa ser algo que nós "vemos". Para servirem como um convite eficaz a uma Causa Justa, as palavras têm que descrever uma imagem específica e tangível do tipo de impacto que queremos provocar, ou qual seria o aspecto de um mundo melhor. Somente quando pudermos imaginar a versão exata do mundo em direção ao qual uma organização ou um líder espera avançar, saberemos com qual organização ou com qual líder queremos comprometer nossas energias e nós mesmos. Uma Causa clara é o que desencadeia nossas paixões.

"Só contratamos pessoas apaixonadas pelo que fazem" é o padrão anunciado por muitos dos responsáveis por contratações. Como, no entanto, eles sabem se um candidato é apaixonado pela Causa? A realidade é que TODO MUNDO é apaixonado por alguma coisa, mas não pela mesma coisa. Líderes com mentalidade infinita buscam ativamente funcionários, clientes e investidores que compartilhem uma paixão pela sua Causa Justa. No caso de empregadores, é a isso que estão se referindo quando dizem: "Contrate com base na cultura, e poderá ensinar as aptidões mais tarde." No caso de clientes e investidores, é a raiz do amor e da lealdade pela própria organização.

A companhia de entrega rápida de saladas Sweetgreen, por exemplo, representa algo maior do que apenas a venda de saladas e convida potenciais contribuintes a se juntarem à sua Causa. Sua missão é "criar comunidades mais saudáveis conectando as pessoas a alimentos de verdade". Alimento de verdade, como definido pela Sweetgreen, significa matérias-primas locais, o que ajuda os produtores locais. Por isso suas lojas têm cardápios diferentes dependendo da parte do país em que estão localizadas. Apesar de muitos de nós só comprarem as saladas porque gostamos delas, os que dão importância a alimentos de produtores locais serão movidos a trabalhar para a Sweetgreen ou se tornarão seus mais leais clientes. Farão sacrifícios – como sair de seu roteiro habitual ou pagar mais – para comprar da Sweetgreen. Apoiar a empresa de algum modo é uma das coisas que os fazem sentir que estão levando adiante os próprios valores e crenças, a própria visão de um mundo melhor. Sentem que são parte da Causa.

Direcionada a prestar serviço – para o benefício primário de outros

Uma Causa Justa tem que envolver pelo menos duas partes: contribuintes e beneficiários. Quem dá e quem recebe. Os contribuintes dão alguma coisa (suas ideias, trabalho ou dinheiro) para ajudar a fazer a Causa Justa avançar. E os que recebem essas contribuições são os beneficiários. Para descobrir se uma Causa Justa é direcionada a prestar serviço, é só verificar se o benefício primário das contribuições vai para pessoas que não são os próprios contribuintes.

Se meu chefe me oferece um conselho que tem a ver com a carreira, por exemplo, esse conselho deve ser primordialmente para o benefício da minha carreira, não da dele. Se sou um investidor, o benefício primário da minha contribuição deve ser ajudar a empresa a levar adiante sua Causa Justa. Se sou um líder, minha intenção deve ser que o benefício primário de meu tempo, de meu esforço e de minhas decisões vá para aqueles que eu lidero. Se sou um funcionário na linha de frente, minha intenção deve ser que os benefícios primordiais de meus esforços sejam para as pessoas que comprarem nossos produtos ou serviços. Porém, se formos os únicos beneficiários de nosso trabalho, não será uma Causa Justa, mas um projeto em nome de nossa vaidade.

Quando a Sweetgreen fala sobre os beneficiários de suas contribuições, está falando sobre comunidade. Não está falando sobre o que suas contribuições farão pela Sweetgreen. E os que redigiram a Declaração de Independência dos Estados Unidos disseram claramente que "Nós, o povo", não "Nós, os líderes", seriam os principais beneficiários de seus esforços e da Revolução. Se os que lideraram a luta tivessem feito deles mesmos os principais beneficiários, os Estados Unidos acabariam se transformando em uma ditadura ou oligarquia. Com essa nova perspectiva, é fácil perceber o que acontece quando uma empresa diz que os principais beneficiários de seu trabalho são os acionistas, não os clientes.

A palavra central de tudo isso é "principal" ou "primordial". Prestar um serviço a outrem não é a mesma coisa que fazer caridade. Na caridade, a maior parte do benefício de nossa contribuição, se é que não todo ele, tem que ir para quem a recebe. E o benefício de quem contribuiu é a sensação boa de ter contribuído. Nos negócios, podemos, é claro, levar em conta como nosso trabalho vai nos beneficiar ou favorecer nosso quinhão. Claro que podemos esperar e até mesmo solicitar sermos justamente recompensados e reconhecidos por nossos esforços e resultados. Podemos querer que nossos investidores sejam beneficiados também, mas não às custas da empresa, das pessoas que trabalham nela ou dos clientes. Nenhum beneficiário, nenhum cliente, deveria ser obrigado a comprar um produto de qualidade abaixo do padrão, e nenhum funcionário deveria perder seu emprego como resultado de um corte de custos feito para beneficiar acionistas, que, afinal de contas, são apenas alguns contribuintes num grupo de contribuintes. Em resumo, somente quando o principal beneficiário da Causa não é a própria organização é que a Causa pode ser considerada Justa.

É isso que significa a frase "Liderar é servir": que o principal benefício das contribuições flui descendo a corrente. Numa organização em que não existe a orientação de servir (ou que é tratada de forma indiferente diante do evento principal), o fluxo de benefícios tende a ir corrente acima. Investidores investem com a intenção primária de obter retorno antes de qualquer outro fator. Líderes tomam decisões que beneficiam a eles mesmos, e não aqueles sob seu comando. O pessoal de vendas se assegura de que está fazendo tudo que precisa fazer para realizar as vendas e ganhar seu bônus, sem considerar as necessidades do cliente. Esse é comumente o fluxo de benefícios em muitas empresas hoje em dia, que se encontram povoadas por pessoas que trabalham para proteger seus próprios interesses e os interesses de quem está acima delas, em detrimento das pessoas que supostamente estão servindo.

A exigência de que uma Causa Justa seja orientada para servir é consistente com a ideia de como se supõe que jogos infinitos devam ser jogados. O jogador infinito quer manter o jogo em benefício de outros. Um líder que deseje montar uma empresa equipada para o Jogo Infinito nunca pode tomar decisões que visem promover apenas sua própria compensação. Seus esforços deveriam se direcionar no sentido de equipar a organização para o jogo no qual ela está operando. Nem mesmo o investidor deve ser o principal beneficiário de seu investimento, e sim a empresa na qual ele acredita e é sua Causa Justa, a qual ele quer ver progredir. Um investidor de mentalidade infinita quer contribuir para levar adiante algo maior do que ele mesmo – e que, se for bem-sucedido, será altamente lucrativo. Um investidor com mentalidade finita se parece mais com um jogador que só aposta para colher a recompensa. Não devemos confundir os dois comportamentos.

O motivo de uma orientação para servir ser tão importante no Jogo Infinito é que ela constrói uma base de empregados e clientes (e investidores) leais que estarão ligados à empresa nos bons e nos maus momentos. É essa base firme de lealdade que dá a qualquer organização um tipo de força e longevidade que o dinheiro por si só não é capaz de prover. Os funcionários mais leais sentem que seus líderes se importam genuinamente com eles porque… porque, de fato, seus líderes se importam, real e genuinamente. Em troca, eles oferecem suas melhores ideias, agem livre e responsavelmente e trabalham para resolver problemas em benefício da empresa. Os clientes mais leais sentem que a empresa se importa genuinamente com o que eles querem, precisam ou desejam porque… porque a empresa realmente se importa. Em troca, eles saem de seu roteiro habitual e pagam mais caro para comprar seu produto, além de incentivarem seus amigos a fazerem o mesmo. E as empresas que têm as melhores lideranças sentem que seus investidores se importam genuinamente em ajudá-las a serem o mais sólidas possível para poder levar a causa adiante, porque os investidores realmente se importam. Os resultados beneficiam todos os acionistas.

Resiliente – capaz de resistir a mudanças políticas, tecnológicas e culturais

Líderes que querem liderar com mentalidade infinita fariam bem em ter em mente o exemplo da Declaração de Independência dos Estados Unidos. Os fundadores declararam seu comprometimento com a igualdade e com a ideia de que os direitos humanos são inalienáveis e perenes. Mesmo agora, mais de 240 anos depois, com líderes, contexto, povo e cultura diferentes, a Causa Justa permanece tão relevante e inspiradora quanto naquela época. É uma Causa Justa por um período de tempo infinito.

No Jogo Infinito dos negócios, uma Causa Justa tem que ser mais do que apenas um produto ou um serviço. Produtos e serviços são algumas das coisas que usamos para levar adiante a Causa, não são eles mesmos a Causa. Se identificarmos a Causa como nosso produto, então toda a existência de nossa organização dependerá da sua relevância. Qualquer tecnologia nova pode tornar nossos produtos, ou nossa Causa, ou toda a empresa, na verdade, obsoletos da noite para o dia. As ferrovias americanas, por exemplo, estavam entre as maiores empresas do país. Até que avanços na tecnologia automotiva e uma rede rodoviária ofereceram ao povo uma alternativa mais rápida e às vezes mais barata do que o trem. Se as ferrovias definissem sua necessidade de existir em termos relacionados ao transporte de pessoas e de coisas, e não ao próprio avanço, poderiam hoje ser donas dos maiores fabricantes de automóveis ou de companhias aéreas. Editores priorizaram a si mesmos no mercado de livros em vez de ver nele uma forma de difundir ideias, e assim perderam a oportunidade de capitalizar em novas tecnologias para levar adiante sua causa. Poderiam ter inventado a Amazon ou o leitor digital. Se a indústria fonográfica tivesse se definido como compartilhadora de música em vez de vendedora de discos, fitas e CDs, teria se saído melhor num mundo de streaming digital. Ao se definir como uma causa maior do que os produtos que vendia, poderia ter inventado serviços como o iTunes ou o Spotify. Mas não o fez... e agora está pagando o preço.

Mercados sobem e caem, pessoas vêm e vão, tecnologias evoluem, produtos e serviços se adaptam aos gostos dos consumidores e às demandas do mercado. Precisamos de algo mais permanente para nos mobilizar. Algo que seja capaz de resistir a mudanças e crises. Para nos mantermos no Jogo Infinito, nossa Causa precisa ser durável, resiliente e atemporal.

Idealista – grande, ousada e inatingível

Quando os signatários da Declaração de Independência dos Estados Unidos afirmaram que todos os homens são "criados iguais" e "dotados [...] de certos direitos inalienáveis", estavam se referindo primordialmente a homens brancos, anglo-saxões e protestantes. No entanto, quase imediatamente houve esforços no sentido de avançar para um entendimento mais inclusivo do ideal. Durante a Revolução Americana, por exemplo, George Washington proibiu mobilização anticatólica em seus exércitos e frequentava missas, dando o exemplo do comportamento que esperava de seus soldados. Quase cem anos depois, a Guerra de Secessão trouxe o fim da escravidão, e logo depois a Décima Quarta Emenda assegurou cidadania e direitos iguais a negros e ex-escravos. O movimento sufragista feminino deu mais um passo em direção à Causa Justa americana quando obteve a aprovação do voto feminino, em 1920. A Lei de Direitos Civis de 1964 e a Lei dos Direitos ao Voto de 1965, que protegeram negros e outras minorias da discriminação, foram mais dois passos. A nação deu outro passo em 2015, com a decisão da Suprema Corte no caso Obergefell vs. Hodges, que estendeu as proteções garantidas pela Décima Quarta Emenda ao matrimônio gay.

Se os fundadores dos Estados Unidos tivessem estabelecido apenas um objetivo – obter a independência –, uma vez atingido este, teriam ido beber cerveja enquanto se deliciavam comentando entre si como fora maravilhoso terem vencido a guerra. Mas não foi isso que aconteceu. Em vez disso, puseram-se a trabalhar, escrevendo uma Constituição (que só foi totalmente ratificada sete anos após o fim oficial da Revolução Americana) para ir mais além, codificando um conjunto de princípios duradouros que protegesse e levasse adiante sua grande, ousada e idealista visão do futuro. Uma visão que os americanos têm lutado para proteger e fazer avançar desde que a pena e a tinta tocaram o papel... e vão continuar a proteger e a fazer avançar enquanto tivermos a vontade e os recursos para fazê-lo. A Causa Justa dos Estados Unidos ainda não foi realizada totalmente, e, no que tange a todas as finalidades práticas, jamais será. Mas vamos morrer tentando. E essa é a questão.

De fato, a abolição da escravidão, o sufrágio feminino, a Lei dos Direitos Civis e os direitos dos gays são alguns dos grandes passos que a nação deu para realizar sua Causa. E, apesar de cada um desses movimentos, infinitos por natureza, estar longe de se completar, ainda assim representam claramente passos ao longo da marcha para os ideais consagrados na Declaração de Independência. É importante comemorar nossas vitórias, mas não podemos perder de vista o objetivo. O Jogo Infinito ainda está sendo jogado e há muito trabalho a ser feito. Essas vitórias devem servir como marcos no caminho em direção a um futuro idealizado. Elas nos dão um vislumbre de como pode ser nosso futuro idealizado e servem de inspiração para continuarmos seguindo em frente.

É assim que a jornada idealizada de uma Causa Justa deve ser – não importa quanto tenhamos conseguido alcançar, sempre sentiremos que precisamos seguir em frente. Pense numa Causa Justa como um iceberg. Tudo que vemos é a ponta, as coisas que já alcançamos. Numa empresa, frequentemente são os fundadores e os primeiros investidores que têm a visão mais clara de um futuro desconhecido, o qual, para todos os outros, permanece invisível. Quanto mais claras as palavras que definem uma Causa Justa, tanto mais provável que atraiam e convidem os inovadores e os primeiros que vão adotá-la, os que querem assumir os primeiros riscos para levar adiante algo que existe quase totalmente em sua imaginação. A cada sucesso, um pouco mais do iceberg é revelado, a visão se torna mais visível para as pessoas. E, quando conseguem enxergar aquela visão se transformando em algo real, os céticos se tornam crentes e mais pessoas se sentem inspiradas por aquela possibilidade e comprometem seu tempo e sua energia, suas ideias e seus talentos para levar a Causa adiante. Mas não importa quanto do iceberg consigamos ver, nossos líderes têm a responsabilidade de nos lembrar que a maior parte ainda permanece inexplorada. Por maior que seja o sucesso alcançado, a Causa Justa pela qual trabalhamos está à nossa frente, não às nossas costas.

Quando tiver uma Causa, registre-a

Os Pais Fundadores dos Estados Unidos são verdadeiras inspirações. Eles viveram e respiraram sua Causa Justa. Isso acontece frequentemente com líderes visionários nos negócios. Mas o que acontece quando esses carismáticos guardiões da Causa se mudam, se aposentam ou morrem? Sempre me surpreende que não ocorra a tantos desses líderes que eles têm que encontrar as palavras para definir e registrar sua Causa. Supõem que, como sua visão é clara para eles, será clara para todos os outros na empresa. O que, decerto, não acontece.

Se eles não encontram as palavras para definir a Causa Justa e não as registram, isso aumenta drasticamente o risco de que, com o tempo, a Causa se dilua ou desapareça. E, sem uma Causa Justa, uma empresa é como um navio sem bússola – desvia-se de seu rumo. O foco deixa de ser um ponto mais além no horizonte e passa para os mostradores bem diante do nariz. Sem uma Causa Justa para guiá-las, mentalidades finitas começam a pipocar aqui e ali. Os líderes passam a comemorar a rapidez com que estão avançando ou quantos quilômetros já percorreram, mas não reconhecem que falta direção ou propósito a sua jornada.

Uma Causa Justa que é preservada no papel pode ser transmitida de geração em geração; o instinto de um fundador, não. Assim como na Declaração de Independência dos Estados Unidos, uma declaração da Causa por escrito aumenta a probabilidade de que ela sobreviva para orientar e inspirar as gerações seguintes. É a diferença entre um contrato verbal e um contrato por escrito. Ambos são legais e aplicáveis, mas, quando um contrato é por escrito, ele impede qualquer confusão quanto aos termos acordados… especialmente para pessoas que não estavam lá quando o acordo foi feito.

Uma causa escrita funciona como uma bússola. E, com uma bússola à disposição, os líderes, com seu olhar fixo no horizonte, podem navegar mais facilmente as tecnologias, as políticas e as normas culturais de seu tempo sem a presença dos fundadores.

Capítulo 3

CAUSA VERDADEIRA OU FALSA?

Que tal brincarmos de "causa verdadeira ou falsa"?

É bom que cada vez mais empresas pareçam estar assumindo a importância de ter um propósito no cerne de seus negócios. O problema é que um grande número delas diz coisas que só *soam* como uma Causa Justa. Na verdade, até podem estar usando uma linguagem que vai ao encontro de alguns dos padrões de uma Causa Justa. Mas, enquanto não ticarem as cinco diretrizes, o que estão oferecendo simplesmente não é uma Causa Justa.

Há poucos motivos pelos quais não levamos adiante uma verdadeira Causa Justa. Às vezes, o líder visionário adota acidentalmente uma causa falsa porque está se esforçando para achar as palavras que representem o que ele imagina para o futuro (veja o capítulo anterior para entender). Em outros casos, o líder quer que as pessoas acreditem que ele está sendo movido pela Causa quando, na verdade, não tem qualquer visão de futuro. Comumente essas "causas falsas" incluem coisas como *moonshots*,* um ímpeto para "ser o melhor", ou confundir a ideia

---

* Inicialmente, o termo se referia ao lançamento de missão tripulada à Lua e passou a significar um projeto ambicioso, ousado, arriscado, que exige métodos e tecnologias ainda não existentes, mas que se pretende descobrir com o correr do tempo. (*N. do T.*)

de um propósito com a de "crescimento". Também é comum encontrar organizações que confundem seu programa de responsabilidade social corporativa (CSR, na sigla em inglês) com uma Causa Justa. Qualquer um desses casos pode ou não funcionar no jogo finito, mas absolutamente não são capazes de levar uma organização a sobreviver e prosperar no Jogo Infinito.

A importância de identificar essas armadilhas é, primeiro, uma advertência de que abraçar qualquer uma dessas causas falsas não vai preparar uma organização para vivenciar um jogo infinito, e sim mantê-la jogando com uma mentalidade finita. Outro motivo para apontá-las é simplesmente podermos saber se realmente temos ou não uma Causa Justa e voltar para a prancheta se for necessário. Com isso, podemos até mesmo evitar a adoção de uma causa falsa desde o princípio. Uma organização que adota uma causa falsa não é ruim; só quer dizer que talvez ela tenha um pouco mais de trabalho a longo prazo. A capacidade de reconhecer causas falsas também pode nos livrar de sofrer como investidores, funcionários ou clientes. Se suspeitarmos de que uma organização não tem uma Causa Justa, podemos ir para outra que tenha.

Uma verdadeira Causa Justa é profundamente pessoal para quem ouve sua descrição e tem que ser profundamente pessoal para quem a adota. Quanto mais pessoal ela for, maior a chance de que nossas paixões sejam mobilizadas para ajudar a levá-la adiante. Se as palavras de uma Causa Justa forem usadas apenas para incrementar a imagem de uma marca, para atrair funcionários empolgados ou para ajudar a alcançar algum objetivo de curto prazo, como uma compra, um voto ou apoio à empresa, o impacto quase com certeza terá vida curta. Assim que começarmos a trabalhar numa organização ou a interagir com seu pessoal, rapidamente vamos descobrir se estão nos apresentando uma Causa Justa em que verdadeiramente acreditam ou se consistem em apenas palavras vazias.

Moonshots não são uma Causa Justa

Ele ofereceu aos americanos algo em que acreditar. Algo maior que eles mesmos. Algo pelo qual estariam dispostos a fazer sacrifícios para ver acontecer. "Nós decidimos ir à Lua", disse o presidente John F. Kennedy, com determinação. "Decidimos ir à Lua nesta década [...] não porque [seja] fácil, mas porque [é] difícil, porque esse objetivo servirá para organizar e mensurar o melhor de nossas energias e aptidões, porque é um desafio que queremos aceitar, que não queremos postergar e que pretendemos vencer."[1] Oito anos depois de John F. Kennedy desafiar pela primeira vez a nação, Neil Armstrong deu "um pequeno passo para o homem, mas um salto gigantesco para a humanidade".

O assim chamado *moonshot* é frequentemente invocado por líderes que estão tentando inspirar pessoas a buscar algo que parece impossível. E, como *moonshots* passam na maioria das diretrizes de uma Causa Justa, comumente funcionam. No caso do *moonshot* literal de Kennedy, ele é afirmativo e específico. É inclusivo, orientado para prestar serviço e definitivamente merecedor de que se façam sacrifícios por ele. Contudo, não é infinito. Não importa quão difícil seja o desafio, não importa quão impossível pareça ser, a real viagem à Lua era um objetivo alcançável, finito. Mais do que um futuro ideal, era o que Jim Collins, autor de *Empresas feitas para vencer* e *Feitas para durar*, chama de BHAG, ou Big, Hairy, Audacious Goal [meta ambiciosa, complexa e audaciosa].[2] É fácil confundir uma BHAG com uma Causa Justa, porque as duas podem ser incrivelmente inspiradoras e podem levar muitos anos para se realizarem. Mas, depois que o *moonshot* é alcançado, o jogo continua. Simplesmente escolher outro objetivo grande e audacioso não é um jogo infinito, é apenas mais um propósito finito.

Durante um encontro de funcionários na GE, alguns deles expressaram preocupação com fato de que a empresa estava excessivamente focada no curto prazo. Jack Welch, CEO na época, respondeu convictamente: "O longo prazo é apenas uma série de curtos prazos."[3] Quando funcionários expressam uma preocupação dessas ao CEO, o que na realidade estão perguntando provavelmente é: "Para que serve tudo isso?" Em que o nosso trabalho está contribuindo para algo que fica além das métricas e das recompensas materiais? A resposta de Welch revelou que, para ele, não havia uma causa maior em questão. O objetivo era simplesmente o desempenho, mais e mais desempenho. Para ele, conquistas finitas eram o suficiente. Só que negócios são um jogo infinito, o que significa que a série de objetivos de curto prazo não vai terminar nunca.

Saltar de objetivo em objetivo pode ser divertido por algum tempo, mas, se isso for tudo, a animação de cada conquista aos poucos torna-se menos… bem, animadora. Frequentemente me deparo com executivos seniores que parecem sofrer de uma espécie de "exaustão finita". Como se saem bem e são bem pagos para atingir cada um dos objetivos que lhe são apresentados, ficam repetindo o modelo. Em algum momento de suas carreiras, eles trocaram toda a fantasia de sentir que seu trabalho contribuiria para algo maior pela corrida dos ratos ou pela roda de hamster ou por alguma outra metáfora de um roedor que nunca chega lá. Alcançar ganhos finitos não leva a algo infinito.

A pergunta à qual uma Causa Justa tem que responder é: qual é a visão infinita e duradoura que um *moonshot* vai ajudar a levar adiante? Uma Causa Justa é o contexto para todos os nossos outros objetivos, grandes e pequenos, e todas as nossas realizações finitas têm que ajudar a levar adiante a Causa Justa. De fato, se ficarmos demasiadamente preocupados com um objetivo finito, não importa quão inspirador ele seja, estaremos abertos a tomar decisões que podem ser boas para o finito, mas poderão prejudicar o infinito.

O *moonshot* de Kennedy foi feito no contexto da visão infinita maior, aquela que os Pais Fundadores dos Estados Unidos estabeleceram, a de que nosso progresso não é para o benefício de poucos, e sim para o benefício de muitos. Nas sentenças que antecederam a proposição do desafio, ele ofereceu o contexto infinito para um desafio finito: "Navegaremos nesse novo mar porque há um novo conhecimento a se adquirir e novos direitos a serem conquistados, e têm de ser conquistados e usados para o progresso de todos." Essa era sua crença em relação a muitos de seus objetivos, inclusive o de fazer um homem pousar na Lua e trazê-lo de volta em segurança.

Embora *moonshots* sejam inspiradores por algum tempo, essa inspiração tem data de vencimento. *Moonshots* são ousados, inspiram objetivos finitos *dentro* do Jogo Infinito, não *em vez* do Jogo Infinito.

Ser o melhor não é uma Causa Justa

"Seremos o líder global em todo mercado em que servirmos, e nossos produtos serão procurados devido a seu design atraente, sua qualidade superior e seu maior valor agregado."[4] Isso soa tipicamente como uma visão corporativa, ou uma declaração de missão. Essa, especificamente, é da Garmin, fabricante de dispositivos de GPS para todos, desde corredores até pilotos. Embora haja dezenas de variações, a fórmula básica é a mesma – somos os melhores e todos querem nossos produtos porque nossos produtos são os melhores... e "de grande valor agregado" (é preciso dar um jeito de incluir isso também).

Como já foi abordado neste livro, declarações de visão ou missão são como bússolas. Elas nos mostram a direção que devemos seguir. Contudo, como não há modelos de como escrever essas declarações, declarações similares a essa citada no parágrafo anterior tornaram-se comuns. Amplas e genéricas, elas acrescem pouco ou nenhum valor a uma empresa que queira adotar uma mentalidade infinita. "Ser o melhor" e declarações egocêntricas semelhantes põem a companhia no papel de sujeito principal (e, por isso, o principal beneficiário) de sua visão. Elas não ajudam a fazer com que a empresa seja relevante para seus clientes. Na verdade, qualquer menção ao cliente ou qualquer oferta de valor costumam vir no final da declaração. Colocar a declaração egocêntrica no início direciona os líderes a concentrar seus esforços dentro da empresa, e não nas pessoas que efetivamente podem comprar seu produto. E só porque podem comprar o produto ou gostar dele não significa que elas acreditem na Causa ou mesmo saibam o que ela é.

Líderes com mentalidade finita muitas vezes confundem a noção de ter um produto de sucesso com a de ter uma empresa forte. É um pouco como os donos do time de basquete Los Angeles Lakers pensarem que seu time é relevante porque LeBron James é relevante. Ter um grande jogador, um produto popular ou um aplicativo com grande número de downloads não significa estar preparado para o Jogo Infinito. Declarações de visão que colocam o produto no centro da visão só serão úteis enquanto nada melhor aparecer, não houver uma mudança nas condições do mercado e nenhuma nova tecnologia for inventada. Se, no entanto, alguma dessas coisas acontecer, a empresa estará com uma declaração de visão que frequentemente a deixará ligada a um modelo ultrapassado de negócios e cega às oportunidades que poderia ter aproveitado. E parece que foi isso o que aconteceu com a Garmin.

Em 2007, a Garmin pode ter sido "a melhor", a líder global em dispositivos de GPS para painéis em carros e barcos. No entanto, à medida que smartphones vão ficando mais confiáveis e capacitados, temos menos necessidade de uma unidade separada de GPS, e a companhia sofreu por causa disso. Atualmente, a Garmin vale menos de um terço do que valia em 2007. É muito fácil para eles simplesmente culpar a ascensão e a ubiquidade dos smartphones para explicar suas perdas (e foi o que fizeram). O que a Garmin deixou de reconhecer é que tinham uma declaração de visão que os direcionava a focar em seu produto, e, ao fazerem isso, perderam a oportunidade que os smartphones estavam lhes oferecendo. Se tivessem se concentrado em como dar valor ao cliente em primeiro lugar, teriam aproveitado a chance para desenvolver o aplicativo de navegação para celulares enquanto ainda havia oportunidade. Sua marca era forte o bastante. Em vez disso, continuaram a se concentrar no modelo de negócios que já tinham, vendendo hardware para acoplar a painéis. Agora, os aplicativos de navegação em nossos celulares são Google Maps, Waze ou Apple Maps, mas não precisavam ser. Uma Causa Justa deveria dar a direção do modelo de negócios, e não o contrário.

Quando uma declaração de visão ou missão está ancorada ao produto, isso pode ter efeitos adversos na cultura corporativa. Pois, quando empresas colocam seus produtos acima de qualquer outra coisa, o que é bem comum em startups de tecnologia ou engenharia, isso deixa os que não são engenheiros ou designers de produto como (e às vezes realmente tratados como) funcionários de segunda classe em suas empresas. Uma organização estará melhor servida se fizer cada um, inclusive quem trabalha em contabilidade, apoio ou serviços ao cliente, por exemplo, sentir que não está lá somente para atender às necessidades de engenheiros ou de equipes de desenvolvimento de produto. Eles também querem sentir que são membros valiosos da equipe, trabalhando juntos para algo maior do que o produto ou eles mesmos.

Simplesmente ser o melhor não pode ser uma Causa Justa, porque, mesmo se formos os melhores (com base em métricas e períodos arbitrários), essa posição é temporária. O jogo não termina quando chegamos lá; ele continua. E, como o jogo continua, nos vemos jogando na defensiva para manter nossa tão acalentada posição no ranking. Dizer "Somos os melhores" pode servir de incentivo para mobilizar uma equipe, mas é um fundamento fraco demais para construir toda a empresa sobre ele. Líderes de mentalidade infinita compreendem que ser "o melhor" não é um estado permanente. Em vez disso, eles lutam para serem "melhores" do que já são. "Melhorar" sugere um progresso constante e nos faz sentir como se estivéssemos sendo convidados a contribuir com nosso talento e nossa energia para avançar nessa jornada. "Melhorar", no Jogo Infinito, é preferível a ser "o melhor".

Crescimento não é uma Causa Justa

Imagine-se saindo de casa uma manhã e vendo seu vizinho colocando várias malas no carro. "Para onde vai?", você pergunta. "Estou saindo de férias", responde ele. "Que maravilha! Mas para onde está indo?", você insiste, curioso. "Eu já disse, férias", ele torna a responder. "Isso eu entendi, mas *para onde* vai?" Exasperado, seu vizinho responde novamente: "Eu já disse, FÉ-RI-AS!"[5]

Constatando que sua pergunta não vai lhe trazer a resposta que está buscando, você tenta outra estratégia. "Está bem, mas como planeja chegar ao lugar onde vai passar suas férias?" Imediatamente seu vizinho descreve seu plano: "Vou pegar a autoestrada I-90. Minha meta é dirigir 500 quilômetros por dia."

Se a pergunta for "Qual é a Causa de sua empresa? Para que ela existe?" e a resposta for "crescimento", é a mesma coisa que seu vizinho responder "férias" à pergunta "Para onde vai?". Os líderes dessas empresas voltadas para o crescimento podem ficar repetindo suas estratégias e seus objetivos, mas isso é o mesmo que explicar que estrada e quantos quilômetros planejamos percorrer em direção às férias; não traça um quadro de por que está indo para lá, afinal, ou aonde espera chegar. Não fornece um contexto ou propósito maior para esse crescimento.

O dinheiro serve como combustível para levar adiante uma Causa, não é uma Causa em si. E o crescimento da sua empresa serve o mesmo propósito. Assim como não compramos um carro simplesmente para podermos comprar gasolina, as empresas também têm que oferecer mais valor do que o de sua capacidade de fazer dinheiro.

Como um carro, uma organização tem mais valor para todos os seus integrantes quando nos leva a um lugar aonde, se não fosse por ela, não seríamos capazes de chegar. Esse lugar onde queremos chegar é a Causa Justa.

Vale notar que muitos dos objetivos que as empresas se propõem a cumprir tendem a ser arbitrários ou exageradamente ambiciosos. Especialmente no mundo das startups, o impulso para valorizações na casa do bilhão de dólares não é indicador de uma empresa saudável construída para durar.[6] Esse é um padrão que evoluiu graças à indústria do capital de risco (porque é com valorizações que eles fazem seu dinheiro). É com uma forte cultura e a capacidade de financiar sua existência (também conhecida como lucratividade) que uma empresa efetivamente permanece no jogo no longo prazo. Além disso, o impulso constante por um supercrescimento cria um problema em mercados já maduros – nos quais o produto, a tecnologia ou o negócio já não são mais novidade ou especiais, e sim aceitos e ubíquos. Para as empresas nesses mercados, como a Sears ou a GE, as opções não vão ser atraentes se mantiverem a mentalidade de crescimento a qualquer custo.[7] Muitas começam a jogar na defensiva, distribuem dinheiro aos acionistas para cortejar seus favores ou abusam de recompra de ações para manter os preços inflados artificialmente. Crescimento por meio de aquisição ou fusão muitas vezes torna-se a única maneira pela qual empresas maduras de mentalidade finita são capazes de continuar demonstrando altas taxas de crescimento. Isso pode proporcionar um impulso de curto prazo no mercado de ações; contudo, como a *Harvard Business Review* e outros relataram, "70%-90% das aquisições são fracassos abismais".[8]

Apresentar o crescimento como uma causa – o crescimento por si só – é como comer apenas para engordar. Isso força executivos a considerar estratégias que demonstrem crescimento, com pouca ou nenhuma consideração ou qualquer sentido de propósito em relação a esse crescimento. Da mesma maneira que afetaria um ser humano, não é de surpreender que organizações que comem para engordar tenham problemas de saúde. Crescimento como uma causa numa cultura pouco saudável, em que o curto prazo e o egoísmo reinam soberanos, enquanto sofrem de confiança e de cooperação. Crescimento é consequência, não Causa. É um resultado, não uma razão de ser. Quando temos uma Causa Justa, estamos dispostos a sacrificar nossos interesses para levá-la adiante. Quando pensamos que dinheiro ou crescimento são a Causa, é mais provável que estejamos sacrificando outros ou a própria Causa para proteger tais interesses. Além do mais, nada pode crescer para sempre. Toda bolha acaba estourando... mesmo as financeiras.

Responsabilidade social corporativa não é uma Causa Justa

A organização anunciava todo o bem que ela fazia para a comunidade. Difundia as histórias de pessoas que haviam se beneficiado das bolsas de estudo que ela financiava, por exemplo. Queria que seus clientes e seus funcionários soubessem que se importava com as pessoas. O que seria ótimo, se os 60 mil funcionários da empresa não tivessem que trabalhar em um ambiente tão tóxico, onde era cada um por si.

Um programa de responsabilidade social corporativa, ou CSR, não é uma Causa Justa. E uma empresa não pode ser considerada inspirada numa causa só porque patrocina caminhadas, faz doações para a caridade ou dá folga aos funcionários para que se voluntariem para alguma finalidade. Nem é movida por uma causa só porque doa seus produtos a quem não tem recursos para adquiri-los.

Os programas de CSR são, na maioria, linguagem de negócios para o ato de doar para a caridade. E, embora adotar um programa de CSR seja ótimo e recomendável, é apenas uma fração do que a empresa faz. O programa de CSR deve ser parte de uma estratégia mais ampla para levar adiante uma Causa Justa, que inclui tudo o que a empresa faz. A maneira pela qual ela ganha seu dinheiro e como o gasta devem, ambas, contribuir para levar adiante a Causa Justa. "Trabalho relacionado com uma causa" não é algo que a empresa faça lateralmente; é o cerne de sua existência. O serviço não é um enfeite. É sua raiz. E nenhuma medida de responsabilidade social corporativa é bastante para compensar ou equilibrar um exagero no foco finito que porventura esteja consumindo o restante da cultura corporativa.

Até mesmo líderes de mentalidade finita bem-intencionados têm a visão de "ganhar dinheiro para praticar o bem". Uma visão infinita voltada para o serviço, no entanto, é um tanto diferente: "Pratique o bem ganhando dinheiro" (a ordem das afirmações importa). Eu vou praticar o bem em como trato as pessoas e sirvo minha comunidade durante toda a minha vida e, somado a isso, montar uma empresa financeiramente forte. Não é tanto uma equação quanto um estilo de vida. Esses indivíduos e empresas trabalham para serem provedores nas vidas dos que trabalham para eles e das comunidades nas quais operam. A doação que ocorre durante e ao fim de sua vida parece mais ser uma continuação do que têm feito por décadas, e não uma tentativa de compensar o passado. A diferença é determinada pela mentalidade dos líderes.

Capítulo 4

GUARDIÃO DA CAUSA

Sam Walton fundou a Walmart em 1962, com uma ideia simples: servir à classe média trabalhadora dos Estados Unidos oferecendo "os preços mais baixos em qualquer momento, em qualquer lugar". No fim da vida, Walton descreveu sua visão desta maneira: "Se trabalharmos juntos, vamos baixar o custo de vida para todos... daremos ao mundo uma oportunidade para ver como é economizar e ter uma vida melhor."[1] Com Walton ao leme, as decisões que levaram à criação da Walmart – desde onde localizar as lojas até o tamanho que teriam – foram todas tomadas tendo essa Causa em mente. Como resultado, as pessoas *amaram* a Walmart – tanto as que nela trabalhavam quanto as que compravam em suas lojas. As pessoas queriam ter lojas Walmart em suas comunidades. O negócio foi se ampliando, e Walton, que tinha crescido durante a Depressão, tornou-se um dos homens mais ricos dos Estados Unidos.

Porém, em algum momento, a Causa Justa ficou nebulosa. Quando Mike Duke assumiu como CEO, em 2009, ficou claro que ela não era mais a força motriz da empresa. Na verdade, a visão original de Walton era pouco mais do que lemas de marketing e palavras ocas escritas nas paredes da sede. A Walmart estava agora obcecada pelo lucro, pelo crescimento e pela participação no mercado, ignorando a Causa que a levara ao sucesso desde sua criação.

Mike Duke tinha criado na Walmart a reputação de ser especialista em eficiência. Quando foi anunciado que Duke seria o novo CEO, seu predecessor, H. Lee Scott Jr., balbuciou: "Eu pensei, e acho que os acionistas também pensaram, que a Walmart deveria ser melhor gerenciada." E continuou: "Mike não é apenas um bom líder, mas também um bom gestor. [...] Não acho que nos negócios você possa esquecer que precisa não só liderar, mas também gerenciar." Se os acionistas estavam esperando corrigir questões de gerenciamento ou melhorar o desempenho, então dar as rédeas a alguém como Mike Duke poderia ter sido a opção perfeita... no curto prazo. Mas, se eles estavam preocupados que a Causa Justa de Sam Walton se enfraquecesse, então um homem como Mike Duke era a pior escolha para colocar a empresa de volta nos trilhos.

As palavras do próprio Duke quando aceitou o cargo revelam o tipo de mentalidade com a qual ele iria exercer sua liderança: "[A Walmart] está muito bem posicionada na economia de hoje, na participação no mercado e nos retornos, e é mais do que nunca relevante para seus clientes", disse ele num comunicado à imprensa ao anunciar seu novo cargo. "Nossa estratégia é robusta e nossa equipe de gerenciamento é extremamente capaz. Estou confiante que continuaremos a proporcionar ganhos a nossos acionistas, aumentar oportunidades para nossos mais de 2 milhões de associados e ajudar nossos 180 milhões de clientes em todo mundo a economizar e viver melhor."[2]

Notou a ordem? O primeiro pensamento de Duke foi para o crescimento na participação no mercado e nos retornos. Embora ele fale em ser relevante para os clientes, só parece dar valor a eles no fim da declaração. Essa é uma estranha peculiaridade da natureza humana. A ordem em que uma pessoa apresenta as informações costuma revelar sua verdadeira prioridade e o foco de sua estratégia. Sam Walton começou com os interesses das pessoas, Mike Duke começou com os de Wall Street.

Sob a liderança de Duke, o preço das ações da Walmart realmente cresceu... por algum tempo. No entanto, priorizar números em vez de pessoas tem um custo. A marca antes tão amada viu-se também envolvida em múltiplos escândalos sobre a maneira com que tratava seus funcionários e clientes. Em 2011, a Walmart foi alvo de um dos maiores processos por discriminação no trabalho na história dos Estados Unidos, por funcionárias que alegaram estar sendo vítimas de uma política sistemática de sub-remuneração e discriminação nas promoções. Em 2012 houve passeatas e protestos de funcionários que exigiam ser tratados com dignidade e respeito e receber salários que lhes permitissem viver. Onde antes comunidades se mobilizavam para trazer a Walmart para suas redondezas, agora se mobilizavam para mantê-la fora de lá. Os planos de expansão da empresa em Denver e em Nova York, por exemplo, foram interrompidos por protestos em massa. Houve também uma investigação no Congresso americano com base em alegações de que a Walmart subornara funcionários estrangeiros para favorecê-la no exterior.[3] Desnecessário dizer, o moral na empresa despencou e grande parte do amor que as pessoas dedicavam a suas lojas foi substituída por desdém.

O que aconteceu com a Walmart é algo recorrente em empresas de capital aberto, mesmo as movidas por uma Causa.[4] Sob pressão de Wall Street, executivos de mentalidade finita são promovidos às mais altas posições de liderança quando o que realmente se necessita é de um líder visionário, de mentalidade infinita. Steve Ballmer, como já comentamos, foi um desses exemplos. John Sculley, que substituiu Steve Jobs na Apple em 1983, foi outro. Em vez de continuar a levar a Causa adiante, Sculley estava mais preocupado em competir com a IBM. O prejuízo que ele causou à cultura da empresa comprometeu seriamente a capacidade de inovação da Apple. Em 2000, depois de ter sido preterido para o cargo de CEO na GE, Robert Nardelli assumiu o título na

Home Depot (seu apelido na GE era "Little Jack", de tanto que ele imitava e tentava suceder Jack Welch como CEO). Seu incansável ímpeto no sentido de cortar custos quase destruiu a cultura de inovação na Home Depot. Em 2004, o executivo-chefe de operações, o COO Kevin Rollins, substituiu Michael Dell como CEO da Dell. Focado em crescimento, ele presidiu a maior onda de demissões na história da empresa, um crescimento nas reclamações dos clientes e uma investigação da SEC relativa a questões de contabilidade. Esses homens eram todos executivos aptos e talentosos. No entanto, sua mentalidade finita os deixava mal qualificados para o cargo. Na verdade, Sculley, na Apple, e Rollins, na Dell, causaram tanto dano a suas respectivas organizações que seus predecessores de mentalidade mais infinita Steve Jobs e Michael Dell foram trazidos de volta para arrumar a casa. O problema não está em quão aptos sejam os executivos no momento em que assumem como CEOs. O problema está em se eles têm a mentalidade certa para o cargo que estão recebendo.

Precisamos de um novo título

A responsabilidade de cada executivo está sustentada em seu título. Temos o Chief FINANCIAL Officer (CFO), o Chief MARKETING Officer (CMO), o Chief TECHNOLOGY Officer (CTO) e o Chief OPERATING Officer (COO) [executivos-chefes de finanças, marketing, tecnologia e operações, respectivamente]. Uma das coisas que esses títulos fazem é ajudar a garantir que ponhamos a pessoa certa no cargo certo. Poucos sequer considerariam pôr alguém que odeia números e nunca foi capaz de compreender uma planilha de balanço no cargo de CFO. E, se você acha a tecnologia um assunto meio confuso e ainda tem aquele antigo aparelho de videocassete conectado a sua TV em casa, aposto que não consta em nenhuma lista de próximos candidatos a CTO. Isso nos leva à questão: o que exatamente é um Chief EXECUTIVE Officer, ou CEO?

A ausência de um padrão claro para o papel e as responsabilidades de um CEO nas empresas é um dos motivos pelos quais encontramos demasiados líderes jogando o jogo finito quando deveriam pelo menos estar pensando no Jogo Infinito. Em muitos casos, o fato é que seu título não os preparou adequadamente para o emprego que têm. A palavra "executivo" não nos diz pelo que um CEO é responsável.

Palavras importam. Elas dão uma direção e um significado às coisas. Use as palavras erradas e as intenções mudam e as coisas não correm necessariamente como se espera ou se deseja. Por exemplo: Martin Luther King Jr. disse "Eu tenho um sonho" em seu discurso, não "Eu tenho um plano". Não há dúvida de que ele precisava de um plano. Sabemos que ele se reunia com várias pessoas para discutir esse plano. Mas, como "CEO" do Movimento pelos Direitos Civis, King não era o responsável por fazer o plano. Era o responsável pelo sonho e de se assegurar que os responsáveis pelo plano trabalhassem para levar o sonho adiante.

A general Lori Robinson – a oficial feminina de mais alta patente na história militar dos Estados Unidos ao se reformar da Força Aérea em 2018 – explica que a responsabilidade da pessoa de mais alta hierarquia numa organização é olhar para além da organização. "Eu olharei para cima e para fora. Preciso que vocês olhem para baixo e para dentro", é como ela enquadrava sua responsabilidade toda vez que assumia um novo comando.[5] Se a pessoa de mais alta hierarquia precisa olhar "para cima e para fora", precisamos que seu título ajude a enquadrar sua principal responsabilidade.

Líderes no Jogo Infinito estarão melhor equipados para cumprir com suas responsabilidades se compreenderem que estão atuando no papel de um executivo-chefe de visão, ou CVO (Chief Vision Officer). Essa é a principal função de quem que está na linha de frente. É o defensor, comunicador e protetor da visão. Sua tarefa é assegurar que todos compreendam claramente qual é a Causa Justa e que todos os outros executivos dirijam seus esforços no sentido de fazer essa Causa avançar dentro da organização. Não é que um líder de mentalidade infinita esteja totalmente despreocupado em relação aos interesses finitos da empresa. Na verdade, como guardião da Causa, assumem a responsabilidade por decidir quando os custos finitos de curto prazo são aceitáveis para fazer avançar a visão infinita. Eles pensam além da linha de chegada. Como o jogador infinito definitivo, o CVO tem que ir para cima e para fora.

O próximo na fila para o cargo mais alto

Hoje em dia, a maioria das empresas se organiza em torno de uma única linha hierárquica. O CEO é o cargo mais alto, sendo seguido pelo CFO (financeiro) ou o COO (operacional). E, na grande maioria dos negócios, os CFOs e COOs se consideram na fila para o "cargo mais alto". Michael Dinkins, que trabalhou na GE durante dezessete anos sob Jack Welch, explicou:

> Creio que um dos motivos pelos quais muitos CFOs estão sendo promovidos ao cargo de CEO é porque a posição de CFO é uma das únicas que vê a companhia como um todo. Tudo que está acontecendo dentro da empresa. [...] Eles compreendem os processos dentro da companhia e o período de tempo em que esses processos ocorrem. [...] Eles veem como o RH está recrutando. [...] Eles veem como uma fábrica vai introduzir um novo equipamento. [...] Eles compreendem os sistemas de controle de qualidade que regem o negócio. [...] Eles veem a empresa como um todo, e há uma vantagem nisso.[6]

A declaração de Dinkins faz sentido se estivermos procurando uma liderança tática, de mentalidade finita. Mas não se estivermos precisando de um CVO. Um CVO não é um cargo operacional ou financeiro.

Enquanto um CVO pensa para cima e para fora, CFOs e COOs focam para baixo e para dentro. Um exige o olhar fixo no horizonte infinito, o outro requer os olhos fixos no plano de negócios. Um vislumbra o futuro muito distante, abstrato. O outro vê os próximos passos num período de tempo tangível e próximo.

Essa é uma das razões pelas quais as melhores organizações são frequentemente administradas em conjunto. A combinação do guardião da visão (CVO) com o CFO ou o COO é uma parceria de aptidões complementares. Temos mais probabilidade de conseguir essa parceria se ajustarmos as hierarquias formais em nossas empresas de modo que promovam a mentalidade certa para o propósito da missão. Isso significa que precisamos parar de ver o CEO como o cargo mais alto na hierarquia e o CFO ou o COO como o segundo em comando e começar a pensar neles com parceiros vitais numa causa comum. Cada um tem sua função na empresa, e é impossível que uma única pessoa tenha todas essas capacidades simultaneamente (motivo pelo qual eles precisam uns dos outros). É só pensar em como Steve Ballmer, John Sculley e Kevin Rollins prosperaram quando estavam trabalhando ao lado de parceiros com mentalidade mais infinita.

Embora o CVO esteja frequentemente sob os holofotes, e embora o CVO frequentemente seja o mais louvado, ao menos publicamente, todos os jogadores têm que abrir mão do ego e ter em mente que essa é uma parceria de confiança. O CVO sabe que não pode, sozinho, levar adiante a visão e que precisa de alguém do tipo que Michael Dinkins descreveu. O COO ou o CFO sabem que suas aptidões podem funcionar em maior escala e com maior significado se forem aplicadas para ajudar a levar adiante uma Causa Justa infinita; algo maior do que eles mesmos ou a própria empresa. Esse modelo tem precedentes. Nas Forças Armadas americanas há oficiais e militares de patentes inferiores que trabalham lado a lado. A trajetória para subir nas patentes inferiores é diferente daquela que prevalece no oficialato. São carreiras completamente distintas. Não há conflito de interesses quando trabalham juntos porque a patente mais alta de não oficial não pode, numa base, aspirar a assumir a função do oficial mais graduado, e vice-versa. Quando essas parcerias funcionam, o CVO e o COO ou o CFO passam mais tempo agradecendo e celebrando um ao outro do que competindo por atenção.

Uma verdade incômoda para muitos CFOs e COOs é que eles já atingiram o nível mais alto da carreira para seu acervo de aptidões. Já são as pessoas mais aptas em finanças ou operações da organização, o que é uma grande conquista. Sem eles, o CVO não seria capaz de levar adiante a visão. Mas isso não quer dizer que estejam equipados para estar na linha de frente, liderando essa visão. Para muitos, uma vez chegando ao "cargo mais alto", o mais provável é que continuem fazendo o que sabem fazer bem – pensar quão grande querem que sua empresa seja e que tipos de margem, EBITDA, EPS ou participação no mercado eles visam conseguir (propósitos finitos) – do que assumam a nova responsabilidade de imaginar que aspecto poderia ter o futuro e como a empresa poderia levar adiante uma Causa Justa (um propósito infinito).

É como um agente de vendas que é promovido a gerente de vendas. Ele pode ter sido excelente em fazer vendas, mas não será mais responsável por essa área; agora, é responsável por cuidar dos outros agentes de vendas. Se falhar em mudar a marcha, em ajustar sua mentalidade e aprender um novo conjunto de aptidões para sua nova função, haverá problemas. Qualquer CFO, COO ou outro executivo pode perfeitamente ser bem-sucedido como CVO se também aprender a se adaptar à nova função e às novas responsabilidades e adotar uma mentalidade infinita. Se falharem nisso, provavelmente vão cair no padrão das aptidões que tinham em sua função anterior, o que aumenta a possibilidade de guiarem a empresa por um caminho muito finito.

Fosse ou não qualificado para ser o CVO da Walmart, Duke não conseguiu se ajustar ao papel que lhe foi dado – não fez prevalecer a visão de Sam Walton. Contudo, o sucessor de Duke, Doug McMillon, demonstrou ser o CVO de que a Walmart precisava. Quando sua nova posição foi anunciada em 2013, McMillon disse num comunicado à imprensa: "A oportunidade de liderar a Walmart é um grande privilégio. Nossa empresa tem uma rica história de oferecer valor aos clientes no mundo inteiro e, à medida que suas necessidades aumentam e mudam, estaremos lá para servi-los. Nossa equipe de gerenciamento é talentosa e experiente, e nossa estratégia me deixa confiante num futuro brilhante. Ao cumprir nossa promessa aos clientes, estaremos impulsionando o valor das ações, criando oportunidades para nossos funcionários e fazendo nosso negócio crescer".[7] McMillon apresentou suas prioridades literalmente na ordem inversa de Mike Duke quando este passou a liderar a empresa, cinco anos antes. McMillon pôs a visão de Sam Walton em primeiro lugar. É empolgante ver como ele reestruturou a Walmart para mais uma vez jogar o Jogo Infinito.

Capítulo 5

A RESPONSABILIDADE NOS NEGÓCIOS (REVISTA)

Os negócios hoje em dia estão sujeitos a um ritmo de mudanças estonteante. E tudo que muda parece cobrar seu preço. O tempo que leva para uma empresa ser forçada a sair do jogo está ficando cada vez mais curto. Na década de 1950, a vida média de uma empresa era de pouco mais de sessenta anos. Hoje em dia, é de menos de vinte. Segundo um estudo de 2007 feito pelo Credit Suisse, tecnologias disruptivas são o motivo desse declínio abrupto na duração da vida das empresas. No entanto, as tecnologias disruptivas não constituem um fenômeno novo. O cartão de crédito, o forno de micro-ondas, o plástico-bolha, o velcro, o rádio transistor, a televisão, os discos rígidos, as células solares, a fibra óptica, o plástico e o microchip foram todos introduzidos na década de 1950. Com exceção do velcro e do plástico-bolha (que são disruptivos de modo totalmente diferente), há uma boa lista de tecnologias disruptivas. Provavelmente a "disrupção" (rompimento com tecnologias anteriores) não é a causa da mudança, mas o sintoma de uma causa mais insidiosa. Não é a tecnologia que explica o fracasso; tem menos a ver com a tecnologia em si mesma, e mais com a falha dos líderes em visionar o futuro de seus negócios quando o mundo muda à sua volta. É o resultado de sua miopia. E a miopia é condição inerente a líderes que jogam com uma mentalidade finita. De fato, o aumento desse tipo de miopia nos últimos cinquenta anos pode ser rastreado até a filosofia de uma única pessoa.

Num artigo que foi um verdadeiro divisor de águas em 1970, Milton Friedman, economista vencedor do Prêmio Nobel, considerado um dos maiores teóricos do formato atual do capitalismo, lançou o fundamento da teoria da primazia do acionista, que hoje é o cerne da prática de muitos negócios de mentalidade finita. "Num sistema de livre-iniciativa e propriedade privada", ele escreveu, "um executivo de uma corporação é um empregado dos donos do negócio. Ele é diretamente responsável ante seus empregadores. Essa responsabilidade é conduzir a empresa de acordo com a vontade deles, que geralmente será ganhar o máximo de dinheiro possível, ao mesmo tempo que se atém às regras básicas da sociedade, tanto as da lei quanto as do costume ético".[1] Na verdade, Friedman insistia na ideia de que "existe uma e somente uma responsabilidade nos negócios: usar seus recursos para empreender atividades destinadas a aumentar os lucros a qualquer custo, contanto que ainda esteja jogando dentro das regras".[2] Em outras palavras, segundo Friedman, o único propósito do negócio é ganhar dinheiro, e esse dinheiro pertence aos acionistas. Essas ideias já estão tão arraigadas no imaginário coletivo que hoje em dia é comumente aceito que o "dono" de uma empresa está no topo da cadeia alimentar de benefícios e que o negócio existe apenas para gerar riqueza, e também que essa sempre foi a maneira como o jogo dos negócios era jogado e é a única maneira como pode ser jogado. Exceto pelo fato de que não era... e não é.

Friedman tinha uma visão unidimensional do mundo dos negócios. E, como qualquer um que já tenha estado em um cargo de liderança, trabalhado com um ou comprado de um negócio sabe, negócios são dinâmicos e complicados. O que significa ser possível que, nos últimos quarenta anos, tenhamos construído empresas com uma definição de negócios que na verdade é ruim para os negócios e solapa o próprio sistema capitalista que ela proclama defender.

O capitalismo antes de Friedman

Para uma alternativa que tenha mentalidade mais infinita do que a definição de Friedman da responsabilidade nos negócios, podemos voltar a Adam Smith. O filósofo e economista escocês do século XVIII é amplamente aceito como o pai da economia e do capitalismo modernos. "O consumo", ele escreveu em *A riqueza das nações*, "é o único fim e propósito de toda a produção e o interesse do produtor deveria ser atendê-lo, somente até onde for necessário para promover o [interesse] do consumidor". Ele continua explicando: "Essa máxima é tão óbvia que seria absurdo tentar demonstrá-la."[3] Dito de maneira simples, os interesses da empresa deveriam sempre ser secundários aos interesses do consumidor (ironicamente, considerando uma questão que Smith considerou tão "óbvia" que achou ser um absurdo tentar demonstrá-la, ainda assim eis-me aqui escrevendo um livro inteiro sobre o assunto).

Smith, no entanto, não estava cego a nossas predileções finitas. Ele reconheceu que "o interesse do consumidor no sistema mercantil é quase constantemente sacrificado em benefício do interesse do produtor; e este parece considerar que a produção, e não o consumo, é o fim definitivo e o objetivo de toda indústria e todo comércio". Em poucas palavras, Smith aceitava que era da natureza humana as pessoas agirem para atenderem os próprios interesses. Ele chamou nossa propensão pelo interesse próprio de "mão invisível". Continuou teorizando que, por ser a mão invisível uma verdade universal (devido a nossas motivações egoístas, queremos construir empresas fortes), ela por fim vai beneficiar o consumidor. "Não é da benevolência do açougueiro, do cervejeiro ou do padeiro que podemos esperar nosso jantar, mas da consideração que eles têm pelos próprios interesses", explicou. O açougueiro tem o desejo egoísta de oferecer os melhores cortes de carne sem levar em consideração o cervejeiro ou o padeiro. E o cervejeiro quer fazer a melhor cerveja, independentemente de que carne ou pão estejam disponíveis no mercado. E o padeiro quer fazer as mais saborosas broas sem qualquer consideração pelo que vamos pôr em nossos sanduíches. O resultado, acreditava Smith, é que nós, consumidores, teremos as melhores de todas as coisas... pelo menos se o sistema for equilibrado. No entanto, Smith não considerou uma época na qual o egoísmo de investidores alheios ao processo de produção e às pesquisas de mercado deixaria esse sistema completamente desequilibrado. Não antecipou que todo um grupo de pessoas de fora, com os próprios interesses em mente, pudesse exercer uma pressão maciça sobre o padeiro para que cortasse custos e usasse ingredientes mais baratos para maximizar os ganhos do investidor.

Se a história ou a linguagem peculiar dos filósofos do século XVIII não forem a sua praia, é só ver como o capitalismo mudou depois que a ideia da supremacia do acionista prevaleceu – o que só aconteceu nas últimas décadas do século XX. Antes da introdução da teoria da primazia do acionista, a maneira como os negócios operavam nos Estados Unidos parecia muito diferente. "Em meados do século XX", disse Lynn Stout, professora de direito corporativo em Cornell, na série documental *Explained*, "a corporação pública [entende-se: empresa de capital aberto] americana estava demonstrando ser uma das mais eficazes e poderosas organizações benéficas no mundo". Empresas daquela época permitiam a americanos de classe média, não apenas aos mais abastados, participar em oportunidades de investimento e usufruir de bons resultados. O mais importante: "Executivos e diretores viam a si mesmos como agentes ou curadores de grandes instituições públicas das quais se esperava que servissem não apenas aos acionistas, mas também a portadores de títulos, fornecedores, funcionários e a comunidade." Foi apenas após o artigo de Friedman em 1970 que executivos e diretores começaram a se ver como responsáveis por seus "donos", os acionistas, e não servidores de uma causa maior. Quanto mais essa ideia se arraigava nas décadas de 1980 e 1990, mais as estruturas de incentivo em companhias de capital aberto e nos bancos tornaram-se excessivamente focadas em ganhos em prazos cada vez mais curtos, beneficiando cada vez menos pessoas. Foi durante esse período que o ciclo anual de demissões em massa para se alcançarem projeções arbitrárias tornou-se, pela primeira vez, uma estratégia aceita e comum. Antes da década de 1980, essa prática simplesmente não existia. Era comum pessoas trabalharem quase a vida inteira na mesma empresa, que cuidava do funcionário e recebia o mesmo cuidado em troca. Confiança, orgulho e lealdade fluíam em ambas as direções. E, no final de sua carreira, esses funcionários ganhavam o proverbial relógio de ouro. Creio que, hoje, ganhar um relógio de ouro não é mais sequer uma hipótese. Atualmente, ou pedimos demissão, ou somos demitidos muito antes de podermos ganhar um.

Capitalismo abusivo

A forma de capitalismo com mentalidade finita que existe hoje tem pouca semelhança com aquele de mentalidade mais infinita que inspirou os fundadores dos Estados Unidos (Thomas Jefferson possuía os três tomos de *A riqueza das nações*, de Adam Smith) e que serviu como base para o crescimento da nação americana. O capitalismo de hoje tem apenas o nome em comum com o capitalismo que Adam Smith concebeu há duzentos anos. E não se parece em nada com o capitalismo praticado por companhias como a Ford, a Kodak e a Sears no final do século XIX e início do século XX, antes de elas ficarem reféns do pensamento finito e perderem o rumo. O que muitos líderes praticam atualmente é mais um abuso do capitalismo, ou "capitalismo abusivo". Como no caso do abuso do álcool, "abuso" é definido como uso impróprio de algo: o ato de usar alguma coisa por outro motivo que não aquele que constituíra a intenção inicial. E se a intenção do capitalismo era beneficiar o consumidor, e os líderes das empresas deveriam ser os servidores de algo maior que eles mesmos, o fato é que não está sendo usada desse modo.

Alguns dirão que minha visão – de que o propósito de uma empresa não é só o de fazer dinheiro, mas o de perseguir uma Causa Justa – é ingênua e anticapitalista. Em primeiro lugar, insisto que todos nós sejamos cautelosos com o mensageiro. Minha suposição é que os que mais veementemente defendem as ideias de Friedman, e muitas das práticas de negócios correntes e aceitas que ele inspirou, são os que mais se beneficiam delas. Mas negócios nunca foram apenas para ganhar dinheiro. Como disse Henry Ford: "Um negócio que nada faz além de ganhar dinheiro é um péssimo negócio."[4] Empresas existem para levar algo adiante – tecnologia, qualidade de vida ou qualquer outra coisa com o potencial de facilitar ou incrementar nossa vida de algum modo. Que pessoas estejam dispostas a pagar por aquilo que uma empresa tem a oferecer é simplesmente prova de que recebem ou extraem algum valor desses produtos ou serviços. O que significa que quanto mais valor uma empresa oferece, mais dinheiro e mais combustível terá para avançar. Capitalismo tem a ver com mais do que prosperidade (medida em vantagens e benefícios, dólares e centavos); tem a ver também com progresso (medido em qualidade de vida, avanços tecnológicos e a capacidade que a espécie humana tem de viver e trabalhar junta e em paz).

O abuso constante desde o final de década de 1970 nos deixou com um tipo de capitalismo que hoje, na verdade, está falido. É um capitalismo degenerado, pensado para levar adiante os interesses de poucas pessoas que abusam do sistema para ganho pessoal e que pouco fizeram para levar adiante os verdadeiros benefícios do capitalismo como filosofia (como se evidencia nos movimentos anticapitalistas e protecionistas em todo o mundo). De fato, toda a filosofia da primazia do acionista e a definição de Friedman para o propósito dos negócios foram promovidas pelos próprios investidores como forma de incentivar executivos a priorizar e proteger seus interesses finitos acima de tudo.

Deve-se em grande parte a Milton Friedman, por exemplo, a ideia de que as corporações associassem o salário de executivos ao desempenho do preço das ações no curto prazo em vez de à saúde da empresa a longo prazo. E os que abraçaram a visão de Friedman foram generosamente remunerados. O Instituto de Política Econômica relatou que, em 1978, o salário médio de um CEO era aproximadamente trinta vezes maior que o salário médio de um trabalhador. Em 2016, essa média havia aumentado mais de 800%, para 271 vezes o salário médio de um trabalhador. Enquanto a remuneração de um CEO teve um aumento médio de cerca de 950%, o trabalhador americano só teve um aumento de 11%. Segundo o mesmo relatório, a remuneração de um CEO cresceu a um ritmo 70% mais rápido do que o do próprio mercado de ações!

Não é preciso ter um MBA para entender por quê. Como explica a Dra. Stout no livro *The Shareholder Value Myth* (O Mito do Valor dos Acionistas), "se 80% da remuneração de um CEO se basear em como estará o preço das ações no ano seguinte, ele ou ela vai fazer seu melhor para se assegurar de que esse preço fique lá no alto, mesmo que as consequências possam ser prejudiciais aos funcionários, aos consumidores, à sociedade, ao meio ambiente ou até mesmo à própria empresa a longo prazo". Quando condicionamos pacotes de remuneração ao preço das ações, isso promove práticas como fechamento de fábricas, salários baixos, implementar cortes de custos extremados e realizar ciclos anuais de demissões em massa – táticas que podem impulsionar os preços das ações no curto prazo, mas frequentemente prejudicam a capacidade de uma empresa de prosperar no Jogo Infinito. Recompras de ações são outra prática legítima que tem sido abusada por executivos de empresas que buscam forçar o preço das ações para cima. Ao recomprar as próprias ações, com base na lei de oferta e procura, eles aumentam temporariamente a demanda, o que temporariamente eleva o preço (e temporariamente faz os executivos parecerem bons no seu trabalho).

Embora muitas das práticas empregadas para elevar o preço das ações pareçam eticamente duvidosas, se tornarmos a olhar para a definição que Friedman dá à responsabilidade nos negócios, veremos que ele deixa a porta amplamente aberta para esse tipo de comportamento. Na verdade, até o incentiva. Lembre-se de que sua única diretiva para a responsabilidade que as empresas devem assumir é que ajam dentro dos limites da lei e do "costume ético". Por que não dizer apenas "da ética"? Fico chocado com essa expressão esquisita, "costume ético". Será que costume ético quer dizer que, se eu fizer algo com bastante frequência, esse algo fica normalizado e por isso não será antiético? Se muitas empresas fizerem regularmente ciclos de demissões em massa, essa estratégia deixa de ser antiética? Se todo mundo está fazendo isso, deve ser a coisa certa.

É inegável que leis e "costumes éticos" surgem como resposta a abusos, e não como prevenção. Em outras palavras, sempre estão defasados e atrasados. Com base na interpretação comum da definição de Friedman, as empresas se sentem quase obrigadas a explorar essas lacunas para maximizar o lucro até que futuras leis e costumes éticos lhes digam que não podem fazer isso. Com base em Friedman, elas têm a responsabilidade de fazer isso!

Empresas de tecnologia, como Facebook, Twitter e Google, com certeza parecem se sentir à vontade para pedir desculpas por terem violado costumes éticos em vez de liderar com uma visão fundamental de como salvaguardar um de seus ativos mais importantes: nossos dados privados. Com base nos padrões de Friedman, estão fazendo exatamente o que deveriam fazer.

Se atualmente estamos usando uma definição defeituosa dos negócios para montar nossas empresas, provavelmente também estamos promovendo as pessoas e formando as equipes de liderança mais capacitadas a jogar pelas regras finitas que Friedman adotou – equipes de liderança que provavelmente serão as menos equipadas para acionar os requisitos éticos necessários para evitar a exploração do sistema para os próprios ganhos. Construídas com o objetivo errado em mente, essas equipes são mais propensas a tomar decisões que causam danos a longo prazo tanto à própria organização quanto às pessoas e às comunidades que supostamente deveriam estar protegendo com sua liderança. Como disse o rei Luís XV da França em 1757, "*Après moi le déluge*", isto é: "Depois de mim, o dilúvio." Em outras palavras, o desastre que se seguirá depois que eu for embora será problema seu, não meu. Um sentimento que parece ser compartilhado por um grande número de líderes finitos hoje em dia.

A pressão para jogar com mentalidade finita

Já não é nenhum segredo para a ampla maioria dos executivos de empresas de capital aberto que a teoria da primazia do acionista e a pressão que Wall Street exerce sobre eles são na verdade ruins para os negócios. A grande loucura é que, apesar da consciência que têm disso e de todos os resmungos e apreensões, eles continuam a defender o princípio e a ceder à pressão.

Não vou desperdiçar nosso tempo trazendo um já desgastado argumento sobre o impacto a longo prazo do que aconteceu nos Estados Unidos e na economia global quando executivos se curvaram a essas pressões. Basta chamar a atenção para a crise econômica de 2008, o estresse e a insegurança cada vez maiores que muitos de nós sentimos no trabalho, e uma sensação dilacerante de que um grande número de nossos líderes se preocupam mais com eles mesmos do que com a gente. Essa é a grande ironia. Os defensores do capitalismo de mentalidade finita agem de um modo que na verdade põe em perigo a sobrevivência das mesmas empresas das quais querem obter lucro. É como se tivessem decidido que a melhor estratégia para colher mais cerejas é derrubar a cerejeira.

Graças em grande parte ao afrouxamento dos regulamentos que foram originalmente introduzidos para evitar que os bancos exercessem o tipo de influência e de tendências especulativas que causaram a Grande Depressão em 1929, os bancos de investimentos mais uma vez exercem enorme poder e influência. O resultado é óbvio: Wall Street força empresas a fazerem coisas que não deveriam fazer e as desestimula de fazer o que deveriam.[5]

Empreendedores tampouco estão imunes a essa pressão. No caso deles, frequentemente há uma pressão intensa para demonstrar crescimento constante e veloz. Para alcançar esse objetivo, ou quando o crescimento desacelera, eles se voltam para o capital de risco ou firmas de capital privado para arrecadar dinheiro. O que, em teoria, parece uma ótima ideia. Exceto pelo fato de que há um defeito nesse modelo de negócios que causará estragos em qualquer empresa com o objetivo de permanecer no jogo. Pois, para que firmas de capital privado e de risco ganhem dinheiro, elas precisam vender. E isso, frequentemente, cerca de três a cinco anos após fazerem seu investimento inicial. Uma firma de capital privado ou um investidor de risco pode usar a linguagem mais floreada de jogo infinito que quiser. E talvez possa até acreditar nela. Isso até o momento em que tiver que vender. Então, de repente, muitos param de se preocupar com a Causa Justa e com todos os outros acionistas. A pressão que investidores são capazes de exercer na empresa para que faça coisas em nome de objetivos finitos pode ser, e frequentemente é, devastadora para as perspectivas de longo prazo. É longa a lista de executivos movidos por bons propósitos que dizem que *seus* investidores são diferentes, que eles, *sim*, se preocupam com a Causa da empresa… até chegar a hora de vender. (Aqueles com quem conversei pediram que não mencionassem os nomes de suas empresas por medo de desagradar seus investidores.)

Não existe crescimento constante nem qualquer regra que diga que crescimento em alta velocidade é necessariamente uma grande estratégia para montar uma empresa que dure. Enquanto um líder de mentalidade finita vê como objetivo o crescimento rápido, um líder de mentalidade infinita vê o crescimento como uma variável ajustável. Às vezes é importante diminuir, estrategicamente, o ritmo de crescimento para ajudar a garantir um longo prazo seguro, ou simplesmente para assegurar que a organização esteja preparada para resistir às pressões adicionais que vêm junto com um crescimento rápido. Uma operação no varejo que cresce rápido, por exemplo, pode optar por desacelerar a expansão das lojas para aplicar mais recursos em treinamento e desenvolvimento do pessoal e dos gerentes. Abrir mais lojas não é o que faz uma empresa ser bem-sucedida; ter essas lojas operando bem é que faz. É de grande interesse da empresa fazer bem as coisas agora em vez de esperar para lidar com os problemas que o crescimento rápido pode causar no futuro. A arte da boa liderança é a capacidade de olhar para além do plano de crescimento e a disposição para agir com prudência quando algo ainda não está totalmente pronto, ou correto, mesmo se isso significar pisar no freio.

Entre as décadas de 1950 e 1970, o conceito de "previsibilidade" foi considerado crucial em múltiplas instituições. Equipes de "futuristas" foram acionadas para examinar políticas tecnológicas e tendências culturais, para prever seu impacto futuro e se preparar para ele. (Essa prática pode ter ajudado a Garmin a se adaptar aos avanços da tecnologia na telefonia móvel em vez de ser obrigada a reagir.) Até mesmo o governo federal dos Estados Unidos entrou nessa. Em 1972, o Congresso criou o Escritório de Avaliação Tecnológica especificamente para examinar o impacto a longo prazo das propostas legislativas. "Estão começando a se dar conta de que a legislação permanecerá nos livros durante vinte ou cinquenta anos antes de ser revista", disse Edward Cornish, presidente da Sociedade do Mundo Futuro, "e eles querem ter certeza de que o que fizerem agora não terá impacto negativo daqui a alguns anos". No entanto, o projeto foi abandonado na década de 1980, pois algumas pessoas no governo consideravam um desperdício de dinheiro tentar "prever o futuro". O escritório foi fechado oficialmente em 1995. Apesar de atualmente ainda existirem futuristas no mundo dos negócios, eles comumente são encarregados de ajudar uma empresa a prever tendências que possam ser usadas no mercado, e não a avaliar o impacto futuro de escolhas atuais.

Líderes focados no finito frequentemente são avessos a sacrificar ganhos no curto prazo (mesmo se a coisa certa for pensar nos ganhos do futuro), porque ganhos no curto prazo têm mais visibilidade no mercado. E a pressão que essa mentalidade exerce para que outros na empresa foquem o curto prazo costuma vir em detrimento da qualidade dos serviços ou produtos que compramos. É exatamente o contrário daquilo a que Adam Smith se referiu. Se a comunidade de investidores seguisse a filosofia de Adam Smith, estaria fazendo tudo que pudesse para ajudar as empresas nas quais investiu a fazer o melhor produto possível, oferecer o melhor serviço possível e deixar a empresa o mais forte possível. Isso é que é bom para o consumidor e para a riqueza das nações. E, se os acionistas fossem realmente os donos das empresas nas quais investiram, agiriam dessa forma. Mas, na realidade, eles não agem como proprietários. Agem mais como arrendatários.[6]

Considere como dirigimos de modo diferente um carro que é nosso se comparado a um carro alugado, e subitamente ficará claro por que acionistas parecem estar mais focados em chegar aonde querem ir, sem se preocupar muito com o veículo que os levará até lá. Sintonizando a CNBC em qualquer dia, veremos discussões dominadas por discursos sobre estratégias de comércio e movimentos do mercado no curto prazo. São programas sobre fazer transações, não sobre possuir. Dão às pessoas conselhos sobre como comprar e revender uma casa, e não como achar uma casa para criar uma família. Se investidores focados no curto prazo tratarem as companhias nas quais investem como tratam um carro alugado, isto é, como um objeto que não pertence a eles, por que os líderes das empresas deveriam tratar esses investidores como proprietários? O fato é que empresas de capital aberto são diferentes de empresas privadas e não precisam se ater à mesma definição tradicional de propriedade. Se nosso objetivo é construir empresas capazes de se manter jogando durante várias gerações, então temos que automaticamente parar de pensar nos acionistas como proprietários, e os executivos têm que parar de pensar que seu trabalho é destinado somente a eles, os acionistas. Uma maneira mais saudável de os acionistas verem a si mesmos é como contribuidores, seja seu foco no curto ou no longo prazo.

Enquanto funcionários contribuem com tempo e energia, investidores contribuem com capital. Ambas as formas de contribuição são valiosas e necessárias para ajudar uma empresa a ser bem-sucedida, logo as duas partes deveriam ser recompensadas de modo justo de acordo com suas contribuições. Logicamente, para uma empresa se tornar maior, mais forte ou melhor no que faz, seus executivos devem assegurar que o benefício provido pelo dinheiro dos investidores ou o trabalho dos funcionários, como mostrou Adam Smith, vá primordialmente para aqueles que compram [produtos ou serviços] da empresa. Quando isso acontece, fica mais fácil para a empresa vender mais, cobrar mais, construir uma base de clientes mais leal e ganhar mais dinheiro tanto para ela quanto para seus investidores. Ou será que estou esquecendo alguma coisa? Além disso, os executivos também precisam tornar a se ver como servidores de grandes instituições que servem a todos os acionistas. O impacto disso serve às intenções, às necessidades e aos desejos de todos os envolvidos no sucesso de uma empresa, e não só aos de alguns poucos.

O fato é que todos queremos sentir que nosso trabalho e nossa vida têm significado. É parte do que nos faz seres humanos. Todos queremos sentir que somos parte de algo maior que nós mesmos. Devo acreditar que isso contribui para o motivo pelo qual tantas empresas digam que elas servem primordialmente a seu pessoal e seus clientes, quando de fato estão servindo primordialmente a seu quadro executivo e seus acionistas. Para muitos de nós, mesmo que não tenhamos as palavras para definir isso, a forma moderna do capitalismo que vemos atualmente parece ser algo que não se alinha com nossos valores. De fato, se todos nós realmente adotássemos a definição de Friedman para os negócios, as companhias teriam visões e missões que visariam apenas ao lucro a todo custo e estaríamos todos de acordo. Mas não é isso que elas fazem. Se o verdadeiro propósito dos negócios fosse apenas ganhar dinheiro, não haveria necessidade de que tantas empresas fingissem ser movidas por uma causa ou um propósito. Dizer que um negócio existe para algo maior que ele mesmo não é a mesma coisa que, efetivamente, montar um negócio que faça isso. E apenas uma dessas duas estratégias tem valor no Jogo Infinito.

Os tambores da mudança estão rufando

Em 2018, Larry Fink, fundador, presidente e CEO da Black Rock, causou certa comoção no mercado financeiro quando escreveu uma carta aberta a todos os CEOs intitulada "Propósito & Lucro". Nela, ele insta líderes a montarem suas empresas com objetivos mais ideológicos do que de ganhos financeiros no curto prazo. "Sem um senso de propósito", explicou ele, "nenhuma companhia, seja de capital aberto ou não, pode atingir seu potencial pleno. No fim, perderá de acionistas-chave a licença para operar. Sucumbirá às pressões de curto prazo para distribuir o lucro e, no processo, sacrificará investimentos na capacitação de funcionários, em inovação e em despesas de capital que são necessárias para o crescimento a longo prazo". A Black Rock, aliás, é a maior firma de gestão de ativos no mundo, com mais 6 trilhões de dólares sob seu cuidado. Embora o chamado para as companhias adotarem um senso de propósito não seja novo, quando alguém com a posição de Larry Fink no mundo das finanças abraça o conceito tão publicamente, isso faz a questão passar de artigos, livros e conversas junto ao bebedouro para dentro dos muros do palácio.

O mercado de ações está em seu ápice quando funciona tal como se pretendia, permitindo a uma pessoa comum participar da riqueza da nação. No entanto, os americanos se decepcionaram com a forma de capitalismo à qual estão sujeitos hoje e com a maneira com que o mercado de ações é usado como ferramenta num jogo finito. A presença de americanos investindo no mercado de ações está em seu ponto mais baixo em vinte anos. O maior êxodo está na classe média. As pessoas não se importam que uns poucos empreendedores ganhem muito dinheiro. Seu êxodo é uma reação ao desequilíbrio e à falta de confiança no sistema... e os líderes deveriam se inteirar disso.

A ironia é que todos aqueles que trabalham com ou para os mercados públicos sabe que, quando o sistema se torna excessivamente desequilibrado, haverá uma correção. Essa correção com frequência é súbita e violenta. Nosso sistema atual de capitalismo é muito desequilibrado, e aqueles que estão dentro dele têm consciência de que devem fazer as correções necessárias, pois ignorá-las só aumenta a probabilidade de que tal correção lhes seja imposta. E, se o palácio se recusar a mudar por dentro, aumentam as probabilidades de que se tente derrubar a coisa toda. Seja contra a incompetência governamental, contra a corrupção ou contra modelos econômicos distorcidos, é com isso que tão frequentemente têm a ver os levantes populares. Lembremos que a própria Revolução Americana poderia ter sido evitada se a Grã-Bretanha apenas afrouxasse as restrições econômicas que impusera às colônias, lhes desse maior representação no governo e lhes permitisse uma participação maior na riqueza que ajudavam a produzir. É isso. Onde há desequilíbrio, há inquietação.

Derrubar um sistema é complicado, e revoluções são carregadas de risco. São súbitas. Violentas. E quase sempre há uma contrarrevolução (e quando falo de revolução não estou me referindo apenas a insurgências armadas, mas incluindo aqui todos os tipos de interrupção de um status quo). Os colonos americanos só optaram por se rebelar após anos clamando por mudanças. Implorando por elas. Só em parte foram levados à revolução por razões ideológicas. Eles viram sua vida e seu bem-estar econômico sofrerem ou ficarem restritos como resultado de um grande desequilíbrio de poder e de riqueza. A visão de futuro alternativo veio depois.

Seja na Roma Antiga, em que os líderes se recusaram a oferecer cidadania aos aliados que tinham sofrido para defender Roma, ou nas colônias americanas, onde a Grã-Bretanha se recusou a oferecer representação aos colonos mesmo quando seu trabalho duro ajudava a alimentar a economia britânica, é nas costas de pessoas comuns que se produzem riqueza e poder. Em nosso tempo e era modernos, é o trabalhador quem carrega o custo maior pelo dinheiro que ganham as empresas e seus líderes. São eles que devem se preocupar mais, toda vez que a empresa falha em suas projeções arbitrárias, com serem mandados para casa sem meios de sustentar a si mesmos e suas famílias. É o empregado que vai para o trabalho e percebe que não é tratado como um ser humano (e não é recebendo jantares gratuitos ou escritórios elegantes que as pessoas se sentem bem tratadas). As pessoas querem ser tratadas com justiça e uma participação na riqueza que ajudam a produzir, como remuneração pelo custo com que arcam para fazer sua companhia crescer. Não sou eu quem está solicitando isso – são eles!

Os dados revelam que o sistema atual, desproporcionalmente, beneficia o 1% que está no topo. Em resposta a esse desequilíbrio, um pequeno grupo de pessoas, em protesto, acampou no Zuccotti Park, em Nova York, em setembro de 2011. Elas carregavam cartazes que diziam apenas: "Nós somos os 99%". Sem liderança e sem foco, a ocupação de parques em todo o mundo fracassou, mas o movimento ainda existe.[7] O holofote aceso sobre o fato de que o sistema foi estruturado para beneficiar poucos às custas da grande maioria não está se apagando. Pelo contrário, ficou mais brilhante. Cinco anos após o início do movimento Occupy, vimos a mensagem popular chegar ao nível das candidaturas presidenciais de Bernie Sanders, na esquerda, e Donald Trump, na direita. Os dois candidatos jogaram ainda mais lenha na fogueira quanto à questão da desigualdade e da injustiça do "sistema".

Como toda mudança em qualquer status quo, o chamado ao abandono do estilo de negócios de Milton Friedman pode vir do povo ou dos líderes. De fora ou de dentro. Fiquem atentos às bandeiras vermelhas à nossa volta. A ascensão de uma voz populista nos Estados Unidos e no mundo está aumentando. E todos que ocupam uma posição de poder – seja nos negócios ou na política – estão numa situação em que podem efetuar mudanças. E, sem dúvida, a mudança está vindo. Porque é assim que o Jogo Infinito funciona. Esse sistema finito que temos hoje vai se exaurir de vontade e de recursos. Isso sempre acontece. *Sempre.* Apesar de alguns poderem enriquecer por enquanto com dinheiro e poder, o sistema não pode sobreviver sob o próprio peso. Se a história e quase toda quebra de bolsa for algum indicador, o desequilíbrio é uma merda.

Os ventos estão mudando. Tornou-se socialmente aceitável questionar alguns dos princípios do capitalismo de Friedman. E continua a haver um crescente desconforto em relação a essa devoção a sua definição da responsabilidade nos negócios. Organizações como Conscious Capitalism, B Corp, B Team e outras estão promovendo ativamente ideias como a teoria dos acionistas ou o tripé da sustentabilidade para desafiar as ideias de Friedman. E os heróis das décadas de 1980 e 1990, como Jack Welch, estão perdendo seu brilho e apelo. Está mais do que evidente que precisamos de uma nova definição de responsabilidade nos negócios, algo que se alinhe melhor com a ideia de que os negócios são um jogo infinito. Uma definição que entenda que dinheiro é um resultado, não um propósito. Que dê aos funcionários e às pessoas que os lideram o sentimento de que seu trabalho tem um valor que transcende o do dinheiro que ganham para si mesmos, suas empresas e seus acionistas.

Friedman propôs que um negócio tem apenas uma responsabilidade, o lucro; uma visão muito finita do que é um negócio. Precisamos substituir a definição de Friedman por uma que vá além do lucro e considere o dinamismo e as facetas adicionais que fazem o negócio funcionar. Para aumentar o valor infinito de nossa nação, de nossa economia e de todas as empresas que participam do jogo, a definição de responsabilidade nos negócios tem que:

1. Levar adiante um propósito: oferecer às pessoas um senso de pertencimento e de que sua vida e seu trabalho têm um valor que transcende o do trabalho físico.
2. Proteger as pessoas: operar nossas companhias de um modo que proteja as pessoas que trabalham para nós, nossos clientes e o meio ambiente em que vivemos e trabalhamos.
3. Gerar lucro: o dinheiro é o combustível para levar adiante as duas primeiras responsabilidades.

Dito de maneira simples:

A responsabilidade nos negócios é usar sua vontade e seus recursos para levar adiante uma causa que é maior do que você mesmo, proteger as pessoas e os lugares em que opera, e gerar mais recursos de modo que possa continuar a fazer todas essas coisas pelo maior tempo possível. Uma organização pode fazer o que quiser para construir seu negócio, contanto que seja responsável pelas consequências de suas ações.

Os três pilares – levar adiante um propósito, proteger as pessoas e gerar lucro – são essenciais no Jogo Infinito. Os fundadores dos Estados Unidos inspiraram a nação a se unir para levar adiante a vida, a liberdade e a busca da felicidade. Esses direitos inalienáveis à segurança física, a uma causa ou ideologia da qual se é parte e à oportunidade de se sustentar inspiraram uma nação e puseram os Estados Unidos em sua jornada infinita. Cerca de 150 anos depois, em 30 de dezembro de 1922, a Declaração da Formação da União Soviética foi ratificada. Declarava que a nova nação estava fundamentada em três premissas ou direitos: "Todas essas circunstâncias exigem imperativamente a unificação das repúblicas soviéticas em um só Estado unido, capaz de assegurar a segurança externa e a interna, a prosperidade econômica e a liberdade do desenvolvimento nacional dos povos." Em outras palavras, uma nação comprometida com proteger seu povo, oferecer uma oportunidade de ganho econômico e fazer avançar a ideologia do comunismo. Essa tríplice combinação apareceu novamente durante a Guerra do Vietnã, quando o general Giap mobilizou os norte-vietnamitas a se unirem à Guerra Popular com a promessa de segurança física, avanço econômico e a oportunidade de levar avante uma ideologia. Uma Guerra Popular é "simultaneamente militar, econômica e política", disse Giap numa entrevista, anos após a guerra.[8]

Um Estado nacional tem que proteger seus cidadãos, assegurar que vivamos livres do medo. Para fazer isso, tem que manter Forças Armadas para defendê-lo contra ameaças do exterior, estabelecer justiça e garantir a tranquilidade doméstica. Da mesma forma, dentro de uma organização, uma companhia tem que prover a proteção de seu pessoal por meio de uma cultura na qual os trabalhadores se sintam psicologicamente seguros e percebam como seu empregador os trata como seres humanos. Queremos saber que a companhia está investindo em nosso crescimento assim como no seu próprio. Ninguém deveria ir para o trabalho com medo de uma rodada anual de demissões em massa simplesmente porque a empresa errou numa projeção arbitrária. Uma empresa pode prover segurança e proteção aos que estão fora de seus muros ao considerar como a fabricação de seus produtos e a matéria-prima que escolheu podem impactar as comunidades nas quais esses produtos são feitos ou vendidos.

No caso de nações, nosso senso de pertencimento e as ideologias por cujo avanço nos sacrificaríamos costumam se apresentar sob a forma de "ismos", como capitalismo, socialismo, etc. Nos negócios, apresenta-se sob a forma de uma Causa Justa. Tanto no lugar que escolhemos para viver quanto no lugar que escolhemos para trabalhar, deveríamos sentir que estamos trabalhando pelo avanço de algo que é maior que nós mesmos.

Entre nações, o lucro tem importância. A prosperidade econômica representa a capacidade que a nação tem de permanecer solvente. De manter uma economia forte bem provida de recursos para prosperar nos tempos de bonança e sobreviver nos tempos difíceis. Nos negócios é a mesma coisa. E, tanto em nações como em empresas, todos querem a oportunidade de trabalhar duro e ganhar um provento de modo que possam sustentar sua família e a si mesmo.

Os objetivos de uma nação baseada numa mentalidade infinita são também os objetivos de seu povo. Uma nação existe para servir e incluir pessoas comuns enquanto se esforça para seguir adiante. É isso que faz com que nos sintamos emocionalmente conectados com nosso país e tenhamos sentimentos patrióticos. Traduzido em linguagem de negócios, os objetivos de uma empresa precisam se alinhar com os objetivos das pessoas, não apenas com os dos acionistas. Se queremos que nosso trabalho beneficie a nós, nossos colegas, nossos clientes, nossas comunidades e o mundo, então o certo é trabalhar em empresas cujos valores e objetivos se alinhem com os nossos. E, se não se alinham, podemos exigir que o façam. Qualquer um que dê seu sangue, seu suor e suas lágrimas para levar adiante os objetivos de uma empresa tem o direito de se sentir valorizado por sua contribuição e sua participação nos frutos de seu trabalho.

Enquanto Friedman acreditava que os resultados de nosso trabalho deveriam ser para o benefício primordial da elite dirigente (os proprietários), o líder de mentalidade mais infinita vai assegurar que, enquanto existam objetivos compartilhados, todos que contribuírem vão se beneficiar ao longo dos três pilares. Todos temos direito de nos sentirmos psicologicamente protegidos no trabalho, de sermos recompensados por nosso esforço e de contribuirmos para algo maior que nós mesmos. São nossos direitos inalienáveis. Os negócios, como todo propósito infinito, são uma força mais poderosa quando empoderados para as pessoas e pelas pessoas. A disrupção não vai desaparecer tão cedo, isso não vai mudar. No entanto, a maneira como líderes respondem a ela pode mudar. Enquanto a definição finita de responsabilidade tem como foco maximizar recursos, uma definição infinita revista considera também a vontade das pessoas.

Capítulo 6

VONTADE E RECURSOS

O Four Seasons, em Las Vegas, é um hotel maravilhoso. A razão para isso não tem a ver com suas camas chiques. Qualquer hotel pode ter camas chiques. A razão de o Four Seasons ser um hotel maravilhoso são as pessoas que trabalham lá. Se você estiver andando pelos corredores e um funcionário lhe disser "oi", por exemplo, você terá a nítida sensação de que ele realmente quis lhe dizer "oi", e não que o instruíram a fazer isso. Seres humanos são sociais por natureza; sabemos qual é a diferença.

No saguão do hotel há um café. Certa tarde, quando eu estava em Las Vegas a negócios, fui até lá tomar uma xícara de café. O homem que trabalhava naquele dia no balcão era um jovem chamado Noah. Noah era divertido e envolvente. Foi por causa dele que tive mais prazer em tomar aquela xícara de café do que geralmente tenho. Depois de papearmos por um tempo, finalmente lhe perguntei: "Você gosta do seu trabalho?" Sem hesitar um segundo, ele respondeu: "Eu amo o meu trabalho!"

Para alguém em meu ramo de negócios, essa é uma resposta significativa. Ele não disse "Eu gosto do meu trabalho", e sim "Eu amo o meu trabalho". É uma grande diferença. "Gostar" é racional. Gostamos das pessoas com quem trabalhamos. Gostamos de um desafio. Gostamos do trabalho. Mas "amar" é emocional. Amar é algo mais difícil de quantificar. É como perguntar a alguém "Você ama seu cônjuge?" e ele responder "Gosto muito de meu cônjuge". É uma resposta muito diferente. Amar pertence a um padrão mais elevado. Assim, quando Noah disse "Eu *amo* o meu trabalho", eu fiquei animado. Por aquela resposta eu soube que Noah sentia uma conexão emocional com o Four Seasons que era maior do que o salário que ele ganhava e a tarefa que desempenhava.

Logo em seguida, fiz a Noah a seguinte pergunta: "O que, especificamente, o Four Seasons está fazendo para você me dizer que *ama* seu trabalho?" Novamente sem hesitar, Noah respondeu: "Durante todo o dia, gerentes passam por aqui e me perguntam como estou indo, se preciso de algo, se eles podem me ajudar com alguma coisa. Não só o meu gerente, *qualquer* gerente. Eu também trabalho para [outro hotel]", continuou ele, explicando que no outro emprego os gerentes tentavam pegar as pessoas fazendo coisas erradas. Nesse outro hotel, lamentou Noah, "mantenho a cabeça baixa. Só quero que o dia termine para eu pegar meu contracheque. É só no Four Seasons que sinto que posso ser eu mesmo".

Noah dá o melhor de si quando está no Four Seasons. Que é o que todo líder quer de seu pessoal. Assim, faz sentido o fato de que tantos líderes, mesmo alguns dos mais bem-intencionados, perguntem frequentemente: "Como posso conseguir o melhor de meus funcionários?" No entanto, essa pergunta tem uma falha. Ela não tem como objetivo ajudar nossos funcionários a ficarem mais fortes, e sim extrair mais deles. Pessoas não são toalhas molhadas, das quais podemos espremer cada gota de desempenho. As respostas a essa pergunta podem produzir mais resultados por algum tempo, mas muitas vezes isso é às custas de nosso pessoal e da cultura de trabalho no longo prazo. Essa abordagem nunca vai suscitar os sentimentos de amor e comprometimento que

Noah tem em relação ao Four Seasons. Uma pergunta melhor a ser feita é: "Como posso criar um ambiente no qual meus funcionários possam trabalhar com o melhor que eles têm naturalmente?"

Muito frequentemente, quando o desempenho cai, a primeira coisa que fazemos é culpar as pessoas. Mas Noah, por exemplo, é a mesma pessoa nos dois empregos. A única diferença é o ambiente de liderança no qual ele trabalha. Se eu tivesse encontrado Noah no outro hotel, em que sua produção era priorizada em relação a como ele se sentia, minha experiência teria sido totalmente diferente. Seria alta a chance de eu nunca escrever nada sobre ele ou tecer elogios ao outro hotel. Não é a pessoa que faz o trabalho, é a pessoa que lidera as pessoas que fazem o trabalho que pode fazer a diferença.

Os gerentes de Noah no Four Seasons compreendem que seu trabalho é criar um ambiente para Noah no qual ele possa progredir naturalmente. Líderes trabalharão com afinco para criar esses ambientes quando os ensinamos como priorizar seu pessoal em vez dos resultados. E essa é a verdadeira definição de liderar. O custo de um gerente usar seu tempo para andar pelos corredores e perguntar a seus funcionários como eles estão indo… e de dar atenção às respostas… é absolutamente zero. Devido ao fato de a liderança no Four Seasons priorizar a vontade de seu pessoal, e não os recursos que podem produzir, as pessoas que trabalham ali *querem* dar tudo de si no trabalho, e os hóspedes do Four Seasons sentem isso.

Vontade mais que recursos

Em qualquer jogo, sempre são necessárias duas moedas para se jogar: vontade e recursos. Recursos são tangíveis e facilmente mensuráveis. Quando falamos de recursos, normalmente queremos dizer dinheiro. Dependendo das preferências de uma organização ou dos padrões vigentes no dia, esses recursos podem ser contados de várias maneiras – receitas, lucro, EBITDA, EPS, fluxo de caixa, capital de risco, capital privado, preço das ações, etc. Recursos geralmente vêm de fontes externas, como clientes ou investidores, e representam a soma de todas as métricas financeiras que contribuem para a saúde de uma empresa.

Vontade, no entanto, é intangível e mais difícil de ser mensurada. A vontade são os sentimentos que as pessoas têm quando vão para o trabalho. Vontade abrange moral, motivação, inspiração, comprometimento, desejo de se engajar e de oferecer um esforço incondicional, e assim por diante. Ela geralmente vem de fontes internas, como a qualidade da liderança e a clareza e a força da Causa Justa. A vontade representa a soma de todos os elementos humanos que contribuem para a saúde de uma organização.

Todos os líderes, operando quer com mentalidade finita ou infinita, sabem que recursos são essenciais. E os líderes tanto de mentalidade finita quanto infinita concordam que a vontade também é essencial. Ainda não encontrei um só CEO que pense que seus funcionários não são importantes. O problema é que vontade e recursos nunca poderão ser igualmente priorizados. Há sempre circunstâncias nas quais um se antepõe ao outro, vezes em que um líder terá que definir qual deles está disposto a sacrificar. A questão é: qual ele escolherá? Cada líder tem seu viés.

A maioria de nós já esteve presente em reuniões e ouviu um líder apresentar suas prioridades... e geralmente é algo parecido com isto: 1) Crescimento, 2) Nossos clientes, 3) Nosso pessoal. Embora esse líder vá insistir em que se importa com seus funcionários, a ordem na qual eles aparecem na lista tem importância. Nesse caso, há pelo menos duas coisas que estão sendo consideradas mais importantes do que as pessoas, e uma delas são recursos. A ordem na qual um líder lista suas prioridades revela seu viés. E seu viés vai influenciar todas as escolhas que fará.

Líderes de mentalidade finita tendem a priorizar o resultado em números. Como consequência, frequentemente optam por escolhas que demonstrem resultados no curto prazo, mesmo que isso, "lamentavelmente", represente um custo para as pessoas. Há líderes que, durante os tempos difíceis, por exemplo, recorrem primeiro a demissões e a medidas extremas de corte de custos, e não a explorar alternativas que, apesar de não trazerem resultados imediatos, são melhores no longo prazo. Se um líder tiver uma tendência aos recursos, será muito mais fácil para ele calcular a economia imediata de reduzir em 10% sua força de trabalho na semana seguinte do que se decidir por uma opção pela qual as economias levam mais tempo para se expressar na demonstração de resultados.

Líderes de mentalidade infinita, em comparação, trabalham para enxergar além das pressões financeiras dos dias de hoje e para priorizar as pessoas em vez do lucro sempre que possível. Em tempos difíceis, é menos provável que vejam seu pessoal apenas como mais uma despesa a ser cortada e estarão mais dispostos a explorar outras maneiras de economizar dinheiro, mesmo se os resultados demorarem mais a chegar. O líder de mentalidade infinita prefere dar férias coletivas em vez de usar demissões como meio de gerenciar recursos; por exemplo, solicitando que cada funcionário tire duas ou três semanas de licença não remunerada. Embora se esteja pedindo às pessoas que sacrifiquem uma parcela de seu salário, todas manterão seus empregos. Quando um grupo compartilha o sofrimento, isso promove maior união entre as pessoas. É por isso que as pessoas se unem após uma catástrofe natural. No entanto, quando alguns são obrigados a arcar com uma porção desequilibrada do ônus, a cultura da empresa sofre um baque. Ao pensar mais além dos tempos difíceis, um líder de mentalidade infinita aceita esperar um trimestre, um ano ou até mais tempo para acumular economias se isso salvaguardar a vontade das pessoas. Ele compreende que a vontade de seu pessoal é *o que* impulsiona um esforço incondicional, a solução de problemas, a imaginação e o trabalho em equipe –

coisas essenciais para sobreviver e progredir no futuro. O valor de uma vontade forte em relação a recursos simplesmente não pode ser subestimado. De fato, a principal estratégia do general Giap para expulsar do Vietnã as forças americanas, que tinham mais recursos, foi a vontade do povo norte-vietnamita.

Ainda assim, quando pessoas como eu falam sobre a necessidade de priorizar as pessoas em detrimento do lucro, aqueles que têm uma inclinação para recursos ficam de cabelo em pé. O que eles pensam que estão ouvindo é que eu acho que o dinheiro não é importante. Não é verdade. O que eles pensam que estão ouvindo é que eu acho que eles não se preocupam com seu pessoal. Isso também é falso. Não é uma escolha entre um e outro. O viés nem precisa ser extremado. Danny Meyer, o famoso *restaurateur* e fundador da Shake Shack, compartilhou seu viés quando disse que seu negócio era 49% técnico e 51% emocional (o modo como interpretava recursos e vontade).[1] Mesmo um pequeno viés que favoreça mais a vontade do que os recursos terá mais probabilidade de criar uma cultura forte na qual vontade e recursos serão amplamente supridos para o Jogo Infinito.

O custo da vontade

É grande o número de líderes que "consideram pessoas um custo", diz Angela Ahrendts, ex-CEO da Burberry e ex-vice-presidente sênior de varejo da Apple. Especialmente no varejo, que possui altas taxas de rotatividade, a lógica comum é: "Por que investir em pessoas que não vão ficar muito tempo aqui?" É uma visão unidimensional e finita de como funciona um negócio. Ao se concentrarem no dinheiro que podem economizar ao não investir em pessoal, muitos líderes de mentalidade finita desconsideram os custos adicionais em que incorrem quando não investem. Contratar novas pessoas para preencher as lacunas custa caro.

Perder funcionários experientes e ter que esperar que novas pessoas sejam treinadas e se adaptem a uma nova cultura, tudo isso também afeta a produtividade. Acrescente isso ao baixo moral em empregos com alta rotatividade e já dá para começar a se questionar se o dinheiro economizado valeu a pena. Ahrendts ficou curiosa também e foi verificar os números. E o que descobriu surpreendeu até mesmo a ela. O custo adicional da Apple por ter cuidado de seus funcionários foi *zero*.

A Apple dá a funcionários no varejo em tempo integral os mesmos benefícios de empregados em tempo integral que trabalham na corporação, inclusive total cobertura médica e odontológica e 2.500 dólares em reembolso de gastos com educação para quem quiser estudar fora do horário de trabalho. A Apple foi uma das primeiras companhias a oferecer a novos contratados um salário mínimo de 15 dólares por hora e dá a empregados do varejo em tempo integral a mesma opção de compra de ações da companhia que dá a outros funcionários da corporação. Todos esses custos adicionais são compensados pelo dinheiro que a companhia economiza com menos custos de recrutamento e treinamento, que a maioria das empresas que abusam de demissões são obrigadas a pagar para substituir posições ulteriormente (custos que frequentemente não são abatidos do dinheiro que executivos relatam ter economizado com uma rodada de demissões). E, ao contrário de muitos grandes varejistas que têm que manter um grande contingente de recrutas para substituir continuamente as pessoas que são demitidas, a Apple só precisa de um pequeno contingente de novos recrutas para as operações no varejo. Claro que haverá quem diga que a Apple ganha muito mais dinheiro por empregado em comparação com a maioria das operações de varejo e por isso pode se permitir pagar melhores salários. No entanto, a Costco, que paga a seus caixas uma média de 15,09 dólares por hora (além de oferecer um plano de aposentadoria e seguro-saúde), descobriu que o custo adicional é compensado pela rotatividade reduzida e por uma produtividade maior.[2] Além disso, os clientes usufruem de um serviço melhor quando funcionários sentem que são cuidados, o que provavelmente se traduzirá numa média de vendas mais elevada.

Se os custos efetivos líquidos são neutros, então a diferença na forma como tratamos as pessoas é simplesmente uma questão de mentalidade. E é devido a essa mentalidade alternativa[3] que a Apple e a Costco têm uma média de permanência de 90%, enquanto a média no resto do varejo é de 20% a 30%.[4] Se por um lado organizações de mentalidade finita consideram pessoas como um custo a ser gerenciado, organizações de mentalidade infinita preferem considerar funcionários como seres humanos cujo valor não pode ser calculado como se fossem peças de um maquinário. Investir em seres humanos vai além de um bom salário ou um bom local de trabalho. Significa tratá-los como seres humanos. Compreender que eles, como todo mundo, têm ambições e temores, ideias e opiniões, e querem sentir que têm valor. Isso pode ser percebido como um risco por muitos líderes de mentalidade finita. Gastar todo esse dinheiro extra com a "esperança" de que essa estratégia funcione. Salários mais baixos e menos benefícios são simplesmente mais fáceis de contabilizar. No entanto, pode valer a pena correr o risco. Quando empresas fazem com que as pessoas sintam que têm valor, elas se unem de um modo que o dinheiro simplesmente não pode comprar.

Quando a vontade é forte

Seu banqueiro e seus amigos empreendedores o advertiram a não fazer isso. Disseram-lhe que, se a empresa levasse adiante aquele plano, os funcionários o odiariam. "Eles vão embora", disseram seus amigos. Contudo, o CEO também passou algum tempo conversando com várias pessoas na companhia para ouvir sua opinião antes de tomar uma decisão. E todos concordaram. A empresa iria congelar os salários e parar de bancar os planos de aposentadoria.

Durante a crise econômica de 2008, quando as pessoas fecharam as carteiras devido às dificuldades econômicas, muitos optaram por parar de comprar itens não essenciais, como produtos de armazenagem e organização para seus lares e seus escritórios. E a The Container Store, o único varejista nacional totalmente dedicado a produtos de armazenagem e organização, se ressentiu disso. Suas vendas caíram 13%. Isso apresentou problema para uma empresa que não estava acostumada com perdas na receita. Tinham usufruído de uma taxa composta de crescimento anual de 20% desde que abriram as portas, em 1978. A liderança conversou com alguns dos trabalhadores e concluiu que teriam que cortar as despesas pelo menos no mesmo percentual da queda nas vendas. Para aumentar o estresse, ninguém sabia até quando a recessão ia durar, ou até quando as vendas iam continuar a cair.

A The Container Store sempre se orgulhou de ser uma empresa de primeira classe para seus funcionários. Assim, quando veio a recessão, recusou-se a adotar a estratégia mais comum e demitir seus funcionários. Mas tinham que fazer alguma coisa. Quando apresentou o plano de congelar os salários e o custeio do plano de aposentadoria por tempo indeterminado, a liderança tinha certeza de qual seria a resposta. Eles esperavam que seu pessoal fosse compreensivo e concordasse que seria melhor que todos compartilhassem as dificuldades do que pedir a poucos que sofressem o ônus.

O que efetivamente aconteceu os surpreendeu e satisfez acima de suas expectativas: as pessoas não só aceitaram o congelamento da remuneração como assumiram elas mesmas a tarefa de buscar maneiras adicionais de economizar dinheiro. Embora não lhes tivesse sido pedido, as pessoas que viajavam a trabalho baixaram o nível dos hotéis em que se hospedavam – optando por um Hampton Inn em vez de um Hilton, por exemplo. Alguns iam para casa de amigos ou parentes, abrindo mão completamente de hotéis. Outros simplesmente não apresentavam comprovantes de gastos durante a viagem, pagando do próprio bolso por suas refeições e táxis. Em cada ponto no qual pudessem economizar dinheiro, economizavam. Funcionários também procuraram vendedores para pedir que pensassem em maneiras de economizar dinheiro para a empresa. Espantosamente, os vendedores ficaram ansiosos por ajudar. Isso foi algo praticamente inédito! É claro que nada os obrigava a baixar os preços só para ajudar um cliente que estava sentindo a mordida de tempos difíceis. Mas, como a The Container Store tinha relações muito fortes com seus fornecedores, eles *quiseram* ajudar.

"Se essas medidas fossem tomadas pela liderança, não seriam nem metade tão eficazes", diz Kip Tindell, cofundador e ex-CEO da companhia. E ele tem razão. A liderança de uma empresa pode exigir que seus funcionários baixem o nível dos hotéis em que se hospedam, pressionar seu pessoal a insistir que vendedores façam economia e anunciar que não vai mais reembolsar despesas em viagens. E, se fizer essas coisas, de fato vai economizar dinheiro... mas também correr o risco de provocar uma rebelião em massa. Já se sabe de casos em que exigências menores do que essas suscitaram uma raiva silenciosa à empresa e sua liderança. Na The Container Store, como a vontade de contribuir partiu das próprias pessoas, o resultado foi bem diferente. Havia energia no ar. O moral era elevado. As pessoas estavam ansiosas por encontrar maneiras de ajudar. E o mais importante: todos sentiam que estavam juntos no mesmo barco.

Muito frequentemente, líderes de mentalidade finita acreditam que a vontade tem motivação externa – pacotes remuneratórios, bônus, gratificações oriundas de competições internas. Como se só isso tudo pudesse inspirar um ser humano. O dinheiro pode comprar muita coisa. Realmente, podemos motivar pessoas com dinheiro; podemos lhes pagar para que trabalhem com afinco. Mas dinheiro não é capaz de comprar uma vontade verdadeira.[5] A diferença entre uma organização em que as pessoas são recompensadas extrinsecamente para dar o melhor de si e uma em que são motivadas intrinsecamente para isso é a mesma que existe entre uma organização cheia de mercenários e uma cheia de funcionários dedicados. Mercenários só trabalham duro enquanto continuarmos a pagar caro por seus esforços. É pouca a lealdade com a empresa ou com a equipe. Não existe um sentimento real de pertencimento ou de que todos estão contribuindo para algo maior do que eles mesmos. Mercenários não são propensos a se sacrificar por amor ou dedicação. Já pessoas dedicadas *amam* ser parte da empresa. Mesmo que possam enriquecer com o trabalho, não estão fazendo isso para ficarem ricas, mas porque acreditam na Causa Justa.

Tindell, da The Container Store, diz: "Nossos funcionários põem a causa da empresa à frente deles mesmos." Embora importante, não foi, no entanto, a Causa Justa que inspirou a vontade das pessoas. O que Tindell viu durante a recessão foi como um investimento no longo prazo é compensador. Tindell se lembra do que aconteceu durante a crise econômica de 2008 como uma demonstração de "amor e dedicação espontâneos".[6] Pode ter parecido a ele algo espontâneo, mas não foi. Uma vontade forte não é construída da noite para o dia e não surge do nada. Durante anos a The Container Store foi um ótimo lugar para se trabalhar, pagou salários melhores do que a maioria dos concorrentes do varejo e treinou seus líderes para pôr o crescimento pessoal das pessoas à frente do crescimento financeiro da empresa. E durante anos, em troca, os trabalhadores cuidaram bem dos clientes, da empresa e de seus vendedores. E agora, com a empresa em dificuldades, todos quiseram fazer o que era bom para ela. Como tratarmos as pessoas, assim seremos tratados por elas.

Outro motivo pelo qual as companhias que operam com uma tendência favorável à vontade acabam se dando melhor no Jogo Infinito tem a ver com o que somos capazes de controlar. Embora tenhamos controle sobre como gastamos ou gerenciamos nosso dinheiro, temos muito menos controle sobre como o ganhamos. Política, economia, ciclos, flutuações do mercado, a atuação de outros jogadores, preferências de clientes, avanços tecnológicos, o clima e outras forças maiores podem causar estragos na nossa capacidade de acumular recursos. Líderes podem exercer apenas controle limitado sobre essas coisas. No entanto, líderes têm controle quase total sobre a fonte da vontade. A vontade é criada pela cultura da empresa.

Diferentemente dos recursos, que são limitados, podemos criar um suprimento infindável de vontade. Por essa razão, organizações que optam por operar com uma inclinação para a vontade serão no fim mais resilientes do que as que priorizam recursos. Quando chegam tempos difíceis (e tempos difíceis sempre acabam chegando), nas empresas que têm uma tendência à vontade as pessoas possivelmente se mobilizarão para proteger umas às outras, a companhia, os recursos e seus líderes. Não porque receberam alguma ordem, mas porque optaram por isso. É o que acontece quando a vontade das pessoas é forte. "Construímos um sentimento de família – de amor e lealdade de um pelo outro, por nossos clientes, vendedores e comunidades. Nossa intenção foi construir um negócio no qual todos os que estão associados a ele prosperem", disse Tindell.

Capítulo 7

EQUIPES DE CONFIANÇA

"Para que serve isto?", perguntou George. "Não tem nada a ver com campos de petróleo." Esse era o consenso geral reinante entre todas as pessoas na sala. Elas constituiriam a tripulação da Shell URSA, a maior plataforma de perfuração *offshore* em águas profundas já construída pela Shell Oil Company, e acreditavam que não tinham tempo para aquele "workshop".

A Shell URSA teria uma altura equivalente a 48 andares e seria capaz de perfurar mais fundo do que qualquer outra plataforma no mundo, mais de mil metros abaixo da superfície do oceano. Na época, 1997, custou 1,45 bilhão de dólares para ser construída (equivalente a 5,35 bilhões em dólares de hoje em dia). Considerando que sua operação seria massiva e dispendiosa, ela apresentava todo tipo de desafio e perigo, por isso a Shell queria que tudo fosse feito corretamente. Foi por essa razão que escolheu Rick Fox para liderar a equipe.

Fox era um cara durão. De pulso firme e confiante. Não suportava fraqueza. E achava que tinha todo o direito de ser assim. Aquele era um dos trabalhos mais perigosos do mundo. Um passo em falso, um olhar na direção errada, e um homem poderia ser partido em dois num instante e morto por uma das pesadas peças em movimento. Fox sabia disso e já tinha visto acidentes como esse acontecer. A segurança era sua preocupação número um... isso e assegurar que a URSA operasse na capacidade máxima, extraindo do oceano a maior quantidade de barris de petróleo de que fosse capaz.

Enquanto isso, no norte da Califórnia, longe da sede da Shell em Nova Orleans, morava uma mulher chamada Claire Nuer. Sobrevivente do Holocausto, Nuer oferecia consultorias de liderança. Ouviu falar da Shell URSA e, sempre em busca de oportunidades para compartilhar sua filosofia, ligou para Rick Fox a fim de oferecer seus serviços. Quando Nuer perguntou a Fox sobre os desafios que ele enfrentava, ele passou a maior parte do tempo contando a ela quais eram os desafios técnicos. Depois de deixá-lo explicar todas as complexidades de operar uma plataforma de exploração em águas profundas, Nuer fez uma proposta bastante incomum. Se Fox *realmente* queria que sua equipe tivesse segurança e fosse bem-sucedida diante dos novos desafios, todos teriam que aprender a expressar seus sentimentos.

Esse conceito deve ter soado pouco pragmático, coisa da Nova Era. Parecia não ter lugar em qualquer organização séria, focada em desempenho. Se fosse em qualquer outro momento, Fox, um homem que considerava expressar seus sentimentos sinônimo de fraqueza, teria desligado o telefone na hora. Mas Nuer teve sorte. Por alguma razão, talvez porque estivesse enfrentando um relacionamento tenso com o filho, Fox ouviu o que Nuer tinha a dizer. Até aceitou um convite para voar até a Califórnia com seu filho a fim de assistir a um de seus workshops. Lá, Nuer ofereceu aos dois um espaço seguro para se abrirem e expressarem como se sentiam um em relação ao outro. O workshop teve um impacto tão profundo e positivo no seu relacionamento com o filho que Fox quis que mais pessoas experimentassem isso. Ele contratou aquela norte-californiana meio hippie para atravessar o país e ir testar suas teorias com sua calejada tripulação de perfuradores de poços de petróleo da Louisiana. Sabia que eles seriam céticos e ririam do que ele estava lhes pedindo que fizessem. Mas Fox se importava com sua equipe e sabia que toda a humilhação e zombaria que teria que suportar duraria pouco tempo, diante do benefício que iriam auferir. E assim aquele experimento começou.

Dia após dia, durante horas, membros da tripulação da URSA sentavam-se em círculo e falavam de suas infâncias e seus relacionamentos. Suas memórias felizes e as não tão felizes. Em uma ocasião, um membro da equipe irrompeu em lágrimas ao contar a seus colegas sobre a doença terminal do filho. Pediu-se aos membros da tripulação não só que falassem sobre si mesmos, mas também que ouvissem. Outro membro se lembra de terem sugerido que ele perguntasse ao grupo: "Se houvesse uma coisa que vocês pudessem mudar em mim, o que seria?" "[Você] não ouve", disseram-lhe, "você fala demais". Ao que ele só foi capaz de responder: "Por favor, falem mais sobre isso."[1]

Os membros da equipe de Fox aprenderam a se conhecer num nível mais profundo do que jamais tinham experienciado antes. Não apenas como colegas de trabalho, mas como seres humanos. Eles se abriram, revelando como eram em comparação com o que fingiam ser. E, ao fazerem isso, ficou claro que, para a maioria deles, as personas duronas que projetavam eram apenas isso – personas. Debaixo da aparência exterior rude, como acontece com todas as pessoas, havia dúvidas, medos e insegurança. Todos os estavam escondendo. Ao longo de um ano, Rick Fox, com a orientação de Claire Nuer, montou para a Shell URSA uma equipe cujos membros se sentiam psicologicamente seguros em relação uns aos outros.

Existe uma diferença entre um grupo de pessoas que trabalham juntas e um grupo de pessoas que confiam umas nas outras. Num grupo de pessoas que simplesmente trabalham juntas, os relacionamentos são na maioria das vezes transacionais, com base na vontade mútua de fazer o que for necessário. Isso não nos impede de gostar das pessoas com as quais trabalhamos ou até mesmo de gostar de nosso trabalho. Mas não se traduz em uma Equipe de Confiança. Confiança é um sentimento.

Assim como é impossível para um líder pedir que sejamos felizes, ou inspirados, ele não tem como nos ordenar que confiemos nele ou uns nos outros. Para desenvolver um sentimento de segurança, primeiro precisamos nos sentir seguros para nos expressar. Temos que nos sentir seguros ao nos mostrarmos vulneráveis. Isso mesmo, vulneráveis. Só de ler essa palavra muita gente já começa a se contorcer.

Quando trabalhamos numa Equipe de Confiança, sentimo-nos seguros para expressar nossa vulnerabilidade. Sentimo-nos seguros para admitir que cometemos um erro, para sermos honestos quanto a falhas no desempenho, assumir responsabilidade por nosso comportamento e pedir ajuda. Pedir ajuda é um exemplo de uma ação que revela vulnerabilidade. No entanto, quando estamos numa Equipe de Confiança, fazemos isso com a certeza de que nosso chefe e nossos colegas vão nos apoiar. "Confiança é dispor em camadas pequenos momentos e vulnerabilidades recíprocas ao longo do tempo", diz Brené Brown, professora e pesquisadora da Universidade de Houston, em seu livro *A coragem para liderar*. "Confiança e vulnerabilidade crescem juntas, e trair uma delas é destruir ambas."

Quando não estamos numa Equipe de Confiança, quando não sentimos que podemos expressar qualquer tipo de vulnerabilidade no trabalho, frequentemente nos vemos obrigados a mentir, ocultar e simular, como compensação. Escondemos nossos erros, agimos como se soubéssemos o que estamos fazendo (mesmo quando não sabemos) e jamais admitimos que precisamos de ajuda, por medo de humilhação, represália ou nos vermos na próxima lista de demissões. Sem Equipes de Confiança, todas as rachaduras na empresa são escondidas ou ignoradas. E, se as coisas não mudarem depois de algum tempo, vão só se complicar e espalhar até começar a ruir. Equipes de Confiança, portanto, são essenciais para o funcionamento regular e tranquilo de qualquer organização. E, numa plataforma de exploração de petróleo, elas efetivamente salvam vidas.

"Parte da segurança", disse a professora Robin Ely, coautora de um artigo na *Harvard Business Review* sobre a URSA, "é ser capaz de admitir os próprios erros e de estar aberto a aprender, a dizer: 'Eu preciso de ajuda, não consigo erguer esta coisa sozinho, não tenho certeza de que sei ler este medidor.'"[2] O que a equipe da URSA descobriu é que quanto mais psicologicamente seguros se sentiam em relação uns aos outros, melhor era o fluxo de informações. Pela primeira vez em muitas de suas carreiras, a equipe de Fox se sentiu segura para compartilhar suas preocupações. E os resultados foram notáveis. A Shell URSA obteve um dos maiores recordes de segurança na indústria. E, quando as técnicas de construção de confiança de Nuer se disseminaram pela companhia, isso contribuiu para um declínio geral de 84% nos acidentes em toda a empresa.[3]

Quando sugiro que equipes devem aprender umas com as outras a ser vulneráveis, que devem se importar umas com as outras e demonstrar isso, geralmente enfrento resistência. O chefe de um departamento de polícia estadual, por exemplo, disse para mim: "Compreendo o que você está falando, mas não posso dizer aos policiais que trabalham comigo que eu 'me importo' com eles. É uma cultura machista. Eu simplesmente não posso fazer isso. Não vai funcionar."[4] Mas, se um durão como Rick Fox pôde fazer isso numa plataforma de petróleo, então qualquer líder em qualquer atividade pode fazer o mesmo. Nossa aptidão para confiar não se baseia em nossa atividade. É uma questão de ser humano. Às vezes tudo que precisamos fazer é traduzir os conceitos para que se adaptem à cultura na qual estamos inseridos. Perguntei ao delegado: "Você pode dizer aos seus policiais 'Eu me importo com vocês, porra. Quero que venham trabalhar e sintam que eu me importo pra cacete com vocês e que quero construir uma cultura na qual cada policial aqui sinta que também é importante'?" O delegado sorriu. Ele podia fazer isso.

Nos negócios, a resistência tende a vir de outro lugar. Líderes de empresas contam para mim que seu negócio deve ser encarado como profissional, não pessoal. Sua tarefa é impulsionar desempenho, não fazer seus funcionários se sentirem bem. Mas a verdade é que isso não evita o fato de que sentimentos existem. Se você alguma vez se sentiu frustrado, empolgado, nervoso, inspirado, confuso, querido, invejoso, confiante ou inseguro no trabalho, então meus parabéns, você é um ser humano. Não há como desligarmos nossos sentimentos simplesmente porque estamos no trabalho.

O fato de nos sentirmos seguros para expressar nossos sentimentos não deve ser confundido com falta de profissionalismo. Claro, podemos ficar com raiva ou nos afastarmos porque estamos aborrecidos com alguém em nossa equipe, mas somos adultos, por isso devemos agir com respeito, cortesia e consideração. Contudo, isso não quer dizer que podemos ou devemos tentar reprimir nossas emoções. Negar a conexão que existe entre sentimentos e desempenho é como a mentalidade finita encara a liderança. Em comparação, líderes como Rick Fox compreendem que os sentimentos estão no cerne das Equipes de Confiança... e Equipes de Confiança, assim se constata, são o tipo de equipe de mais alto e saudável desempenho.

Em plataformas de exploração de petróleo, a média histórica para o tempo de atividade (a proporção de tempo em que uma plataforma está ativa e operacional) é de 95%. A Shell URSA funciona com 99% de tempo de atividade. Sua produção foi 43% melhor do que os padrões da indústria; superou até mesmo suas próprias metas de produção em 14 bilhões de barris. Como se não fosse o bastante, a URSA esteve muito à frente de suas metas para objetivos ambientais também. Em outras palavras, na construção de equipes de alto desempenho, a confiança vem antes do desempenho.

Os SEALs da Marinha americana são bem conhecidos pelo público devido a filmes como *Ato de coragem* e *Capitão Phillips* e à operação que resultou na morte do líder da Al-Qaeda, Osama bin Laden. De fato, as Forças de Operações Especiais da Marinha estão entre as organizações de mais alto desempenho no planeta. No entanto, talvez você fique surpreso ao descobrir que as pessoas em suas equipes não são necessariamente as de mais alto desempenho individual. Para determinar o tipo de pessoa ideal para fazer parte dos SEALs, uma das coisas que se faz é avaliar candidatos ao longo de dois eixos: desempenho x confiabilidade.

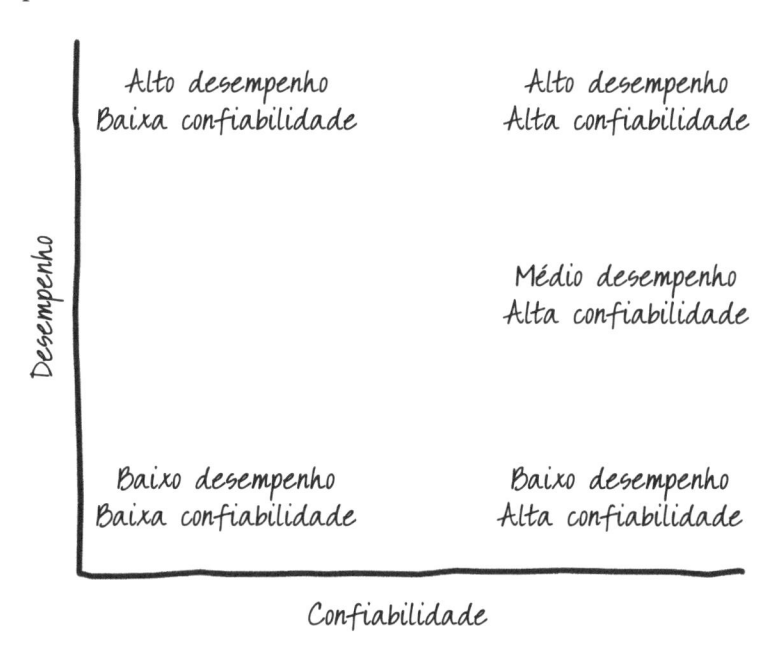

```
                    |
Alto desempenho     |    Alto desempenho
Baixa confiabilidade|    Alta confiabilidade
                    |
                    |    Médio desempenho
Desempenho          |    Alta confiabilidade
                    |
                    |
Baixo desempenho    |    Baixo desempenho
Baixa confiabilidade|    Alta confiabilidade
                    |_____
                         Confiabilidade
```

O desempenho está ligado à competência técnica. A quanto alguém é bom no que faz. Eles são determinados? São capazes de se manter calmos sob pressão? A confiabilidade tem a ver com caráter. Sua humildade e seu senso de responsabilidade pessoal. Quanto apoiam seus colegas quando não estão em combate. E se têm uma influência positiva em outros membros da equipe. Como diz um membro de uma equipe dos SEALs: "Posso confiar minha vida a você, mas posso confiar meu dinheiro ou minha esposa?" Em outras palavras, só porque eu confio em suas aptidões técnicas não significa que eu ache que você é uma pessoa confiável. Você pode ser capaz de manter minha segurança em combate, mas não confio em você o bastante para ficar vulnerável na sua frente. Essa é a diferença entre segurança física e segurança psicológica.

Ao observar o gráfico Desempenho x Confiabilidade, fica claro que ninguém quer ter em sua equipe uma pessoa situada no canto inferior esquerdo, com baixo desempenho e baixa confiabilidade. Claro, todos querem a pessoa do canto superior direito em seu time, com alto desempenho e alta confiabilidade. O que os SEALs descobriram é que a pessoa no canto superior esquerdo – com alto desempenho, mas baixa confiabilidade – torna-se um membro de equipe tóxico. Essas pessoas exibem traços de narcisismo, estão sempre prontas para pôr a culpa nos outros, põem a si mesmas em primeiro lugar, falam mal dos colegas pelas costas e podem ter influência negativa em seus colegas de equipe, especialmente em membros novos ou mais jovens. Os SEALs preferem ter alguém de desempenho médio e alta confiabilidade, às vezes até mesmo de baixo desempenho e alta confiabilidade (é uma escala relativa) em suas equipes a ter alguém de alto desempenho e baixa confiabilidade. Se os SEALs, que têm as equipes de mais alto desempenho no mundo, priorizam a confiança, então por que ainda achamos que o desempenho é a maior prioridade quando se trata de negócios?

Numa cultura dominada por uma pressão intensa para atingir metas trimestrais ou anuais, são muitos os líderes que valorizam pessoas de alto desempenho e pouco se importam se os outros membros da equipe podem confiar nelas. E esses valores se refletem em quem eles contratam, promovem e demitem. Jack Welch, CEO da General Electric (GE) durante grande parte das décadas de 1980 e 1990, época de grande sucesso da empresa, constitui um exemplo extremo. Welch estava tão preocupado em vencer e em ser o número um (ele até deu a um de seus livros o título *Paixão por vencer*) que se concentrou quase exclusivamente no desempenho, em detrimento da confiança. Como os SEALs, Welch também classificava seus executivos ao longo de dois eixos. No entanto, seus eixos eram desempenho x potencial; ou seja, desempenho e desempenho futuro. Com base nessas métricas, os que mais "venciam" num determinado ano eram selecionados para receber uma promoção. Os de baixo desempenho eram demitidos. Em seu ímpeto de produzir uma cultura de alto desempenho, Welch focou acima de tudo na produção dos funcionários.[5]

Ambientes de trabalho como o que Welch cultivou tendem a beneficiar e celebrar aqueles com alto desempenho, inclusive os de baixa confiabilidade. O problema é que pessoas tóxicas frequentemente estão mais interessadas no próprio desempenho e na trajetória de sua carreira do que em trabalhar em equipe. E, mesmo que alcancem grandes resultados no curto prazo, o modo como fazem isso frequentemente contribui para formar um ambiente tóxico no qual seus colegas terão dificuldade de progredir. Na verdade, em uma cultura obcecada por desempenho, essas tendências costumam ser exacerbadas por líderes que incentivam a competição entre os funcionários como um modo de impulsionar ainda mais o desempenho.

Colocar seu pessoal uns contra os outros pode parecer uma boa ideia para líderes de mentalidade finita como Welch. Mas isso só rende frutos num primeiro momento. Posteriormente, pode levar a comportamentos que na realidade minam a confiança, coisas como acumular informação em vez de compartilhá-la com a equipe, apropriar-se do crédito em vez de concedê-lo, manipular membros mais jovens e deixar outros na pior para fugir à responsabilidade. Em alguns casos, as pessoas chegam ao ponto de sabotar intencionalmente os colegas apenas para progredir na empresa. Como é de se esperar, com o tempo a organização como um todo vai sofrer… talvez a ponto de ser obrigada a sair do jogo. A GE que Jack Welch construiu estava destinada a falir. Na verdade, se não fosse a decisão do governo de afiançá-la em 300 bilhões de dólares após a crise econômica de 2008, a GE provavelmente não existiria mais. O tempo sempre acaba revelando a verdade.

Não é de surpreender que mesmo líderes bem-intencionados que valorizam a confiança muitas vezes caem na armadilha de contratar e promover pessoas de alto desempenho sem levar em conta sua confiabilidade. O desempenho pode ser facilmente quantificado em termos de resultados. De fato, nos negócios, temos todo tipo de métrica para mensurar o desempenho de alguém, mas temos poucas, se é que temos alguma, métricas eficazes para medir a confiabilidade. O mais engraçado é que é muito fácil identificar em qualquer equipe as pessoas de alto desempenho e baixa confiabilidade. É só se aproximar da equipe e perguntar quem é o babaca. Provavelmente todos vão apontar para a mesma pessoa.

Se perguntarmos a membros de uma equipe em quem eles confiam mais do que em qualquer outra pessoa do grupo, quem é a pessoa que está sempre a seu lado quando a situação fica difícil, provavelmente todos apontarão para a mesma pessoa. Essa pessoa pode ou não ser a de melhor desempenho, mas é um grande colega e poderia ser um bom líder, capaz de ajudar a melhorar o desempenho de todo o grupo. Esses membros da equipe tendem a ter uma inteligência emocional elevada e a assumir responsabilidade pelo modo como suas ações afetam a dinâmica do restante do grupo. Querem crescer e ajudar aqueles que os cercam a crescer também. Como tendemos a avaliar somente o desempenho, e não a confiabilidade de alguém, é provável que ignoremos o valor de um membro confiável da equipe quando decidimos quem vamos promover.

Quando confrontadas com a informação sobre como os outros se sentem em relação a elas, pessoas de alto desempenho e baixa confiança raramente concordam, ou nem mesmo estão dispostas a ouvir. Acham que são confiáveis, é nos outros que não se pode confiar. Apresentam desculpas em vez de assumir responsabilidade pelo modo como se apresentam. E, apesar de que talvez percebam como o resto da equipe não as inclui em seus assuntos (provavelmente convencendo a si mesmas de que todos estão com inveja delas), não reconhecem que o único fator comum a todo esse tenso relacionamento são elas mesmas. Quando contamos como o resto da equipe se sente em relação a elas, muitas pessoas de alto desempenho e baixa confiabilidade tentaram melhorar o desempenho em vez de tentar reparar a confiança perdida. Afinal, graças às métricas corporativas distorcidas, foi seu desempenho que as ajudou a avançar em sua carreira e a ter segurança no emprego no passado. Por que mudar a estratégia agora?

Bons líderes não favorecem automaticamente pessoas de baixo desempenho e alta confiabilidade nem desmerecem imediatamente pessoas de alto desempenho e baixa confiabilidade. Se o desempenho de alguém estiver enfrentando dificuldades ou se ele estiver agindo de modo que impacte negativamente a dinâmica da equipe, a questão primordial que um líder tem que levantar é: "Essa pessoa pode ser treinada?" Nossa meta, como líderes, é assegurar que nosso pessoal tenha as aptidões – técnicas, humanas ou de liderança – que os habilitem a trabalhar no seu melhor de modo natural e que façam deles um ativo valioso para a equipe. Isso quer dizer que temos que trabalhar com os que têm baixa confiabilidade para ajudá-los a adquirir as aptidões humanas que os façam mais confiáveis e confiantes, e trabalhar com os de baixo desempenho para ajudá-los a adquirir as aptidões técnicas que vão melhorar seu desempenho. Apenas quando um membro da equipe demonstrar ser não receptivo ao treinamento – resistente a feedbacks e a assumir responsabilidade pelo modo com que se apresenta no trabalho – devemos considerar seriamente sua remoção da equipe. E, a essa altura, se um líder decidir mantê-lo, esse líder será o responsável pelas consequências.

Equipes naturalmente isolam ou mantêm a distância o membro em quem não confiam. Aquele que "não é um de nós". Isso deveria tornar mais fácil para um líder saber quem treinar e quem demitir, de modo que o desempenho de toda a equipe possa melhorar. Ou será que não?

Será que esse membro da equipe é que é de baixa confiabilidade, ou será o resto da equipe?

Se você construir, eles virão

Muitas alegações foram feitas contra ele. Investigadores estavam checando algumas delas, inclusive se ele estava dormindo no ginásio em vez de fazer a patrulha, se tinha escurecido ilegalmente os vidros de seu carro particular e se tinha tentado usar seu distintivo para se livrar de uma multa em outra jurisdição. Estava sendo investigado até mesmo por ter transado com sua ex-esposa numa viatura durante o serviço. O policial Jake Coyle sentia-se constantemente perscrutado. Como se um microscópio estivesse sempre apontado para ele. Não confiava em seus líderes, não confiava em seus colegas e ninguém confiava nele.

Os outros policiais pegavam no pé de Coyle regularmente. Ele não era bem-vindo ao grupo e eles faziam questão de que ele soubesse disso. Zombavam dele e pregavam-lhe peças. Colocavam lixo em seu carro, por exemplo, ou bloqueavam a saída com um limpador de neve. Para os outros policiais, aquilo não passava de trotes divertidos, uma brincadeira. Mas para Coyle era muito mais sério. O comportamento dos colegas fazia com que ele não tivesse uma sensação de confiança ou segurança psicológica no departamento. Chegou ao ponto de ele odiar ir para o trabalho. Queria apenas cumprir seu turno e ir para casa. Cada vez mais, pensava em sair de lá e recomeçar em algum outro lugar; já estava agilizando os papéis para ser transferido para outro departamento de polícia quando algo aconteceu.

Quando Jack Cauley chegou ao Departamento de Polícia de Castle Rock (CRPD) para ser o novo delegado, o que encontrou lá foi uma força policial que se parecia com a que tinha acabado de deixar para trás e com incontáveis outras em todo o país (assim como com muitas culturas corporativas hoje em dia). Um lugar onde muitas pessoas se sentiam subestimadas e ignoradas. "O que nos diziam, basicamente, é que éramos substituíveis e que havia centenas de pessoas à espera de nossos empregos", disse um dos policiais descrevendo o que era o CRPD antes do delegado Cauley. "Calouros não se sentiam confortáveis para apresentar suas ideias", disse outro. Era um lugar no qual os policiais podiam ser punidos se não aplicassem muitas multas.

O delegado Cauley sabia tudo sobre departamentos de polícia que usavam multas e detenções como as únicas métricas para avaliar o desempenho. Quando era um jovem e ambicioso policial em início de carreira em Overland Park, no Kansas, em 1986, ele mesmo tinha escalado os níveis hierárquicos tratando de alcançar as metas que seus superiores tinham estabelecido para ele. Se queriam que aplicasse determinado número de multas, ele conseguia o dobro. Com o decorrer dos anos, deu-se conta de que esse alto desempenho acabava se dando às custas dos policiais e da cultura da atividade policial. Assim, quando lhe ofereceram o cargo de delegado do DP de Castle Rock, ele agarrou a oportunidade. Era sua chance de provar o que pode acontecer numa força policial com uma cultura construída sobre confiança, e não sobre multas aplicadas, obediência cega ou insegurança quanto ao emprego.

Uma das primeiras ações de Cauley como delegado foi ter conversas com cada um dos membros da organização – cada policial e cada membro do pessoal. Durante essas reuniões, muitas pessoas lhe disseram que havia anos estavam pedindo que uma cerca fosse construída em torno do estacionamento, que era uma área de asfalto aberta e exposta em torno da sede do CRPD. Policiais e funcionários reclamaram que, quando deixavam o trabalho à noite, quando tudo estava quieto e escuro lá fora, tinham medo de ir até seus carros. Não sabiam se havia alguém escondido, esperando para atacá-los. Durante anos a administração lhes tinha dito que aquilo não era uma prioridade. Que havia coisas mais urgentes do que uma cerca nas quais gastar dinheiro, coisas mais relacionadas com o trabalho policial – como novas armas e novos carros.

Ficou claro para Cauley que as pessoas que trabalhavam no departamento não se sentiam apoiadas por seus líderes. O novo chefe teria que construir um Círculo de Segurança primeiro. Sem ele, nenhuma mudança de Cauley iria funcionar. Assim, em pouco tempo foi erguida uma cerca em torno do estacionamento. Essa simples ação fez com que todos percebessem que as coisas iam mudar. Foi uma em uma série de coisas aparentemente pequenas que enviaram uma mensagem profunda aos funcionários: eu ouço você e me importo com o que você pensa. Um Círculo de Segurança é uma condição necessária para que exista confiança. Ele define um ambiente no qual as pessoas se sentem psicologicamente seguras entre seus colegas para se mostrarem vulneráveis. Seguras para admitir erros, apontar lacunas em seu treinamento, compartilhar seus temores e ansiedades e, é claro, pedir ajuda confiantes que os outros vão apoiá-las em vez de usar essa informação contra elas.

Foi durante essas conversas preliminares que Cauley se reuniu com o "policial problemático" Jake Coyle. O delegado sabia que a corregedoria tinha inocentado Coyle das alegações mais sérias contra ele. Umas poucas infrações, no entanto, foram provadas verdadeiras, como ter escurecido ilegalmente os vidros de seu carro particular. Nenhuma delas era importante, mas juntas seriam suficientes para demitir o jovem policial. O chefe Cauley poderia olhar para Coyle, pensar "Baixo desempenho, baixa confiabilidade" e mostrar-lhe a porta. Mas Cauley suspeitou de que a cultura anterior é que era tóxica, não o policial. E, se ele estava trabalhando para mudar a cultura, então seria adequado dar àquele policial uma segunda chance. Para muitos líderes de mentalidade finita, essa decisão seria considerada arriscada demais; por que manter um funcionário que tinha demonstrado ter um desempenho baixo e não ser confiável? No entanto, em vez de despedir Jake Coyle, Cauley lhe deu uma suspensão não remunerada de três dias. Coyle lembra-se de o delegado lhe ter dito: "Essa é sua oportunidade de dar uma reviravolta total." Coyle sorri quando conta o resto da história. "Ele basicamente estava dizendo 'Eu acredito em você...' [Meu emprego] era basicamente a única coisa que me restava. Já tinha perdido tudo mais... então eu disse: 'Está bem. Vamos fazer isso!'"

Com essas palavras, Coyle mostrou que sabia que aquilo daria trabalho. Se seu chefe queria que ele construísse uma cultura de confiança, ele teria que agir de um modo que valorizasse essa cultura. Relacionamentos de confiança requerem que ambas as partes assumam riscos. Como no caso de começar um namoro ou de fazer amigos, apesar de uma das pessoas precisar assumir primeiro o risco da confiança, a outra tem que a certa altura demonstrar reciprocidade, para que o relacionamento tenha uma chance de ser bem-sucedido. Numa organização, é responsabilidade do líder assumir o risco primeiro, construir um Círculo de Segurança. Mas depois cabe ao funcionário agarrar a chance e entrar no Círculo de Segurança. Um líder não pode forçar ninguém a entrar no círculo. Mesmo em Equipes de Confiança fortes haverá alguns que se recusam a entrar, especialmente em equipes com um histórico de priorizar o desempenho em vez da confiança. Isso não quer dizer que essas equipes sejam tóxicas, só que precisam de mais tempo. A verdadeira confiança leva tempo para ser desenvolvida e algumas pessoas têm mais dificuldade para se abrir.

O processo de construção de confiança é arriscado. Começamos assumindo riscos pequenos e, se nos sentimos seguros, assumimos riscos maiores. Às vezes há percalços. Então tentamos novamente. Até que, por fim, sentimos que podemos ser totalmente nós mesmos. Confiança tem que ser contínua e ativamente cultivada. Para Cauley, dar a Coyle uma segunda chance para mostrar seu potencial numa cultura mais saudável era só o começo. Ele se envolveu pessoalmente com o crescimento de Coyle. Treinava-o o tempo todo, checava-o com muita frequência e mantinha registros de como estava se sentindo no emprego, assegurando-se de que os supervisores diretos de Coyle fizessem o mesmo. O delegado deixou bem claro que Coyle era responsável pelas próprias ações e lhe ofereceu um espaço seguro para se expressar sem medo de ser humilhado, provocado ou sofrer retaliação. Coyle, por sua vez, teria que aproveitar o espaço seguro que Cauley estava construindo para expressar seus sentimentos e pedir ajuda quando precisasse. Também se esperava dele que se comportasse de modo consistente com os valores da organização. E funcionou. Hoje, a cultura no Departamento de Polícia de Castle Rock está totalmente transformada. É um lugar no qual a confiança tem trânsito livre. Jake Coyle tornou-se um dos policiais mais respeitados e dignos de confiança do CRPD, e é responsável pelo treinamento de novos recrutas. E o delegado Cauley, sempre em busca da verdade, ainda realiza suas sessões de conversa.

A verdade não deveria doer

Seres humanos são equipados com o que precisam para se proteger. Evitamos o perigo e buscamos lugares nos quais nos sintamos seguros. O melhor lugar para se estar é entre pessoas com as quais nos sentimos seguros e que sabemos que vão nos proteger. O lugar que suscita mais ansiedade é aquele em que estamos sozinhos – onde sentimos que temos que nos proteger até das pessoas de nossa própria equipe. Quando existe perigo, real ou imaginário, agimos a partir de uma posição que é de medo em vez de confiança. Imagine como uma pessoa age quando trabalha num temor constante de não ser considerada para uma promoção, de enfrentar dificuldades, de ser ridicularizada, de não estar se adequando, de seu chefe pensar que ela é uma idiota, de se ver na lista da próxima rodada de demissões.

O medo é um motivador tão poderoso que pode nos fazer agir de maneiras que são completamente contrárias aos nossos melhores interesses e aos da empresa. O medo pode nos levar a escolher a melhor opção finita, mesmo com o risco de nos prejudicar no futuro. E, diante do medo, ocultamos a verdade – o que é muito ruim em qualquer circunstância, mas ainda pior quando a organização está mal das pernas. Foi exatamente com isso que Alan Mulally se deparou quando assumiu o cargo de CEO da Ford, em 2006.

A Ford estava em grandes dificuldades e Mulally foi trazido na esperança de que salvasse a empresa. Muito parecido com o que o delegado Cauley tinha feito no CRPD, Mulally teve como primeira prioridade na empresa descobrir o máximo que pudesse sobre a situação da empresa com as pessoas que trabalhavam lá. A tarefa, no entanto, demonstrou ser mais difícil do que ele esperava.

Para descobrir como ia a saúde da organização, Mulally introduziu revisões semanais do plano de negócio (BPRs). Todos os executivos seniores tinham que comparecer a essas reuniões e apresentar o status de seu trabalho em relação ao plano estratégico da companhia usando um código de cores simples – verde, amarelo e vermelho. Mulally sabia que a Ford estava com problemas sérios e ficou surpreso ao ver que, semana após semana, os executivos apresentavam todos os seus projetos na cor verde. Por fim, ele ergueu os braços cheio de frustração. "Vamos perder bilhões de dólares este ano", disse o CEO. "Tem algo que *não* está indo bem?" Ninguém respondeu.

Havia um bom motivo para esse silêncio. Os executivos estavam apavorados. O CEO anterior a Mulally costumava repreender, humilhar ou demitir pessoas que lhe dissessem o que ele não queria ouvir. E, como recebemos de volta o comportamento que suscitamos, os executivos tinham se condicionado a esconder aspectos problemáticos ou metas financeiras não alcançadas para se proteger do CEO. Não adiantou Mulally dizer que queria honestidade e responsabilidade; até os executivos se sentirem seguros, ele não ia conseguir isso. (Apesar de todos os cínicos que dizem que não há lugar para sentimentos no ambiente de trabalho, eis aí todo um contingente de pessoas do mais alto escalão numa grande corporação que não queria contar a verdade ao CEO devido ao que sentia.) Mas ele persistiu.

Mulally repetiu a mesma pergunta em cada reunião subsequente, até que uma pessoa, Mark Fields, chefe de operações nas Américas, mudou um dos slides de sua apresentação para a cor vermelha. Uma decisão que, assim pensava, lhe custaria o emprego. Mas ele não perdeu o emprego. Nem foi humilhado. Em vez disso, Mulally bateu palmas e disse: "Mark, isso é de grande visibilidade. Quem pode ajudar Mark com isso?" Na reunião seguinte, Mark ainda era o único executivo com um slide vermelho em sua apresentação. Na verdade, os outros executivos ficaram surpresos ao ver que Fields ainda não tinha sido demitido. Semana após semana, Mulally repetia a mesma pergunta: "Ainda estamos perdendo rios de dinheiro, tem algo que *não* está indo bem?" Lentamente, os executivos também começaram a usar amarelo e vermelho em suas apresentações. Posteriormente, chegou-se a um ponto em que discutiam abertamente todas as questões que estavam enfrentando. No processo, Mulally tinha aprendido alguns truques para ajudar a construir confiança na equipe. Para ajudá-los a se sentirem seguros quanto à humilhação, por exemplo, ele despersonalizou os problemas. "Você *tem* um problema", ele lhes dizia. "Você não é o problema."[6]

Quando os slides apresentados nas reuniões de BPR começaram a ficar mais coloridos, Mulally enfim conseguiu ver o que realmente estava acontecendo dentro da Ford, o que significava que poderia trabalhar ativamente para dar a seu pessoal o suporte de que necessitavam. Uma vez estabelecido o Círculo de Segurança,[7] formou-se uma Equipe de Confiança, e os executivos poderiam agora, nas palavras de Mulally, "trabalhar juntos como uma equipe para transformar os vermelhos em amarelos e os amarelos em verdes".[8] E, se pudessem fazer isso, ele sabia que poderiam salvar a Ford.

Nada nem ninguém consegue manter 100% de desempenho o tempo todo. Se não conseguirmos ser honestos uns com os outros e não nos apoiarmos, nos ajudando mutuamente durante as partes mais desafiadoras da jornada, não iremos muito longe. Mas não basta os líderes simplesmente criarem um ambiente que seja seguro para se falar a verdade. Temos que modelar o comportamento que queremos ver, incentivar ativamente os tipos de comportamento que constroem confiança e dão às pessoas liberdade sem perder de vista suas responsabilidades e o suporte de que necessitam para evoluir em seus empregos. É a combinação daquilo que valorizamos com nossa maneira da agir que estabelece a cultura da empresa.

Cultura = valores + comportamento[9]

Construir uma cultura baseada em confiança exige muito trabalho. Começa com a criação de um espaço no qual as pessoas se sintam seguras e confortáveis de serem quem são. Temos que mudar nossa mentalidade para reconhecer que precisamos de métricas para a confiabilidade e para o desempenho antes de podermos aferir o valor de alguém numa equipe. Esse talvez seja um dos mais poderosos componentes da transformação que o delegado Cauley realizou no Departamento de Polícia de Castle Rock. Uma cultura na qual a pressão por atingir metas foi substituída por um ímpeto de cuidar uns dos outros e servir melhor à comunidade. Para fazer isso, contudo, ele sabia que teria que mudar o modo como demonstrava reconhecimento e recompensava seu pessoal.

Atualmente, as avaliações dos policiais do CRPD são focadas nos problemas que estão resolvendo e no impacto que têm na vida das pessoas no departamento e na comunidade. As métricas tradicionais estão incluídas, mas não são mais o foco. Além das avaliações por escrito, Cauley também entrega ocasionalmente certificados de reconhecimento. Eles vão para policiais que melhor corporifiquem os valores do departamento.

Não é de surpreender – devido ao fato de que Cauley promove e prioriza o cuidado com membros da equipe e da comunidade, a iniciativa e a resolução de problemas acima das métricas tradicionais – que ele obtenha ainda mais cuidado, iniciativa e resolução de problemas no seu departamento. Como já dito anteriormente, nós recebemos de volta o comportamento que suscitamos. E quanto mais problemas as pessoas do Departamento de Polícia de Castle Rock resolvem, mais iniciativa elas demonstram, mais confiança floresce na força e na comunidade. O delegado Cauley chama isso de "policiamento um por um", pois favorece a construção de um degrau a cada vez, um problema a ser resolvido de cada vez. É um sistema que promove consistência acima de intensidade.

As pessoas vão confiar em seus líderes quando eles fizerem coisas que as façam se sentir psicologicamente seguras. Isso significa dar a elas discernimento de como fazer o trabalho para o qual foram treinadas; permitir que as pessoas exerçam uma liberdade responsável. Enquanto o antigo sistema lhes dizia "Vá para A, B, C, D e repita", explica Cauley, no novo sistema, quando policiais veem um novo problema ou uma nova oportunidade, eles dizem "Não seria bom se..." e o delegado os deixa à vontade para fazerem isso.

Esse é o cerne do policiamento um por um. Uma boa liderança e Equipes de Confiança permitem que as pessoas nessas equipes façam o melhor trabalho de que são capazes. O resultado é uma cultura baseada em resolver problemas, e não em pôr um band-aid neles. É a diferença entre emitir uma porção de multas num cruzamento onde há muitos acidentes e tentar imaginar como diminuir o número de acidentes em primeiro lugar. Isso também é uma dissuasão de um policiamento exageradamente zeloso que vem como resultado de um pesado e distorcido sistema de métricas de avaliação e reconhecimento.

A unidade de bicicletas, por exemplo, conhecia uma pista para bicicletas na cidade que não era usada e viu ali uma oportunidade. Tomaram a iniciativa de difundir a notícia de que todas as crianças estavam convidadas a vir aprender a fazer saltos de bicicleta, apostar corridas e comer donuts com os policiais – Terra, Saltos e Donuts, assim chamaram o programa. Os policiais apareceram com donuts fornecidos por uma loja local, uma mesa e suas bicicletas e aguardaram. Na primeira vez, esperavam que viessem poucas crianças. Na verdade, apareceram mais de quarenta, número que se manteve estável mês após mês. Terra, Saltos e Donuts tornou-se uma grande oportunidade para desenvolver o espírito de comunidade. Para a maioria das pessoas, a única vez que falamos com um policial é quando algo deu errado ou estamos tentando nos livrar de um problema. Esses policiais queriam conhecer as crianças e serem conhecidos por elas além de uma apresentação isolada do que é a polícia numa escola local, por exemplo. Em Terra, Saltos e Donuts não há apresentações ou pedidos formais feitos pela polícia; eles só querem andar de bicicleta junto com as crianças.

Numa ocasião, o departamento recebeu uma ligação de um morador que achava que a casa ao lado estava sendo usada para a venda de drogas. Em casos assim, tradicionalmente a polícia daria início a uma investigação. Seria feita secretamente, incluindo policiais disfarçados vigiando a casa ou fingindo ser clientes. O vizinho que deu o alerta não veria a reação da polícia e se sentiria ignorado. Após semanas ou meses construindo um caso, o departamento obteria um mandado, reuniria um grupo de policiais fortemente armados e invadiria a casa. Essa prática é perigosa para todos os envolvidos, e, mesmo que algumas prisões fossem feitas, como me explicaram alguns policiais, não levaria muito tempo e "[os traficantes] estariam de volta às ruas e talvez de volta àquela mesma casa". E mesmo que os policiais conseguissem fechar a casa, a cena do crime costuma ser cercada por uma faixa de isolamento – não exatamente algo agradável para os vizinhos.

A nova cultura no CRPD abriu oportunidade para se tentar algo diferente. Em vez de se armar uma tocaia, um dos policiais ia até a casa onde supostamente se vendiam drogas e batia à porta. Quando alguém atendia, o policial não pedia para entrar; em vez disso, dizia que tinha havido uma denúncia sobre possíveis traficantes de drogas na casa e informava ao morador que a polícia estaria vigiando. Nas semanas seguintes, a presença da polícia nas cercanias aumentava. Policiais tratavam de, em suas rondas, passar com os carros em frente à casa, talvez estacionar na calçada oposta para almoçar. Acontece que é muito difícil vender drogas numa casa quando há a presença regular da polícia no lado de fora. Por fim, os inquilinos foram embora. Não houve arrombamento de portas. Vidas não foram postas em risco.

Eu também aprecio a maneira cética de encarar isso, que é a de que a polícia não resolveu o problema, ela simplesmente o transferiu para outro local. E agora outra jurisdição teria que lidar com aquilo e arriscar suas vidas. Eu concordo que esse realmente é o caso. Mas esse é um jogo infinito. Usando esse sistema de policiamento um por um, o objetivo é que outros departamentos adotem táticas semelhantes e desenvolvam depois a própria. Com o tempo, um crime como a venda de drogas em casas de bairros residenciais torna-se uma proposta de negócio mais difícil a cada cidade, a cada estado, um por um. Note que disse "mais difícil", não impossível. A despeito daquilo em que fomos levados a acreditar pelos que falam em "guerra às drogas", esse não é um jogo que possamos vencer. Traficantes de drogas não estão tentando vencer a polícia e ganhar o jogo. Só estão tentando vender mais drogas. A polícia precisa jogar com a mentalidade correta para o jogo em que está envolvida.

Lembre-se: jogos infinitos necessitam de estratégias infinitas. Como o crime é um jogo infinito, a abordagem que os policiais do delegado Cauley estão adotando é muito mais adequada ao jogo do que uma mentalidade de atacar para conquistar. O objetivo não é vencer no grande esquema das coisas, e sim manter sua vontade e seus recursos fortes enquanto trabalha para frustrar a vontade e exaurir os recursos dos outros jogadores. A polícia nunca vai "vencer" o crime. Em vez disso, ela pode fazer com que seja mais difícil para os criminosos serem criminosos. No CRPD, os policiais estão desenvolvendo estratégias que possam, de maneira fácil, barata e segura, ser repetidas mais e mais vezes... para sempre, se necessário.

"A maior parte do que policiais fazem é tratar de questões que têm a ver com qualidade de vida, não combater o crime", explica Cauley. "E quanto à qualidade de vida dos policiais?" Se uma pessoa tiver que se forçar diariamente a ir para um emprego que ela detesta, isso minará sua confiança e afetará negativamente seu julgamento. "Se um policial estiver de mau humor, você provavelmente vai se ferrar", explicou um deles. "Se estiver tendo um dia ruim e você estiver piorando as coisas para ele ou lhe dando mais trabalho, provavelmente você vai levar a pior nessa história." Assim como na Shell URSA, quando um trabalho pode ser mortalmente perigoso, criar um espaço no qual os trabalhadores possam se sentir seguros para se abrir é mais do que algo agradável de se fazer e ter, é essencial.

Se um policial se sentir inspirado ao ir trabalhar diariamente, sentir que confiam nele e se sentir confiante quando está lá, por ter um lugar seguro e saudável onde expressar seus sentimentos, são altas as probabilidades de que pessoas comuns que interajam com ele se beneficiem também. Assim como clientes jamais vão gostar de uma empresa antes que os próprios funcionários gostem dela, a comunidade nunca vai confiar na polícia antes de os próprios policiais confiarem uns nos outros e em seus líderes.

Ao acrescentar um novo foco à cultura dentro da organização como uma forma de abordar desafios externos, o Departamento de Polícia de Castle Rock presenciou uma mudança notável entre os 75 policiais. Considerando que mais de 95% dos cerca de 12.500 departamentos de polícia nos Estados Unidos têm menos de cem policiais, o policiamento um por um poderia servir de modelo a outros departamentos de polícia que possam estar enfrentando questões de confiança internas ou com a comunidade.

Na verdade, o delegado Cauley reconhece que ainda há muito a fazer em seu departamento e que a velha maneira de pensar ainda não desapareceu completamente. Mas o CRPD empreende uma jornada, e sua cultura hoje é significativamente mais saudável do que era antes. Curiosamente, os policiais relatam um aumento significativo no número de pessoas que lhes acenam só para dizer obrigado. Relatam que há muito mais pessoas lhes oferecendo xícaras de café nos bares e cafeterias. O crime está sob controle e a comunidade, mais disposta a ajudar. "A comunidade nos vê como solucionadores de problemas", diz Cauley, "não agentes da lei".

Se os líderes, em qualquer setor de atividade, impuserem um estresse excessivo às pessoas para alcançar metas e oferecerem estruturas distorcidas de incentivos, correremos o risco de criar um ambiente no qual os recursos e o desempenho no curto prazo serão priorizados, enquanto o desempenho no longo prazo, a confiança, a segurança psicológica e a vontade das pessoas declinarão. Isso vale tanto para o policiamento quanto para os negócios. Se alguém que trabalha com atendimento ao consumidor estiver muito estressado com o trabalho, isso aumenta a chance de proporcionar ao cliente uma experiência ruim. O modo como se sente afeta o modo como faz seu trabalho. Não há novidade nisso. Todo ambiente de trabalho no qual pessoas sintam que precisam mentir e ocultar suas ansiedades, seus erros ou suas omissões no treinamento, por medo de se meter em problemas, ser humilhadas ou perder o emprego, enfraquece exatamente aquelas coisas que permitem às pessoas construir confiança. Na carreira policial, o impacto pode ser muito mais sério do que seria em um serviço de atendimento ao consumidor.

Em culturas fracas, as pessoas buscam segurança nas regras. É por isso que os burocratas existem. Eles acreditam que uma adesão estrita às regras lhes provê segurança no emprego. Porém, no processo, prejudicam a confiança dentro e fora da organização. Em culturas fortes, as pessoas encontram segurança em relacionamentos. Relacionamentos fortes são o fundamento das equipes de alto desempenho. E todas as equipes de alto desempenho começam com confiança.

No Jogo Infinito, no entanto, precisamos de mais do que equipes fortes, confiantes e de alto desempenho. Precisamos de um sistema que assegure que a confiança e o desempenho possam perdurar ao longo do tempo. Se os líderes são os responsáveis por criar o ambiente que fomenta a confiança, estaremos então construindo uma reserva de líderes que sabem como fazer isso?

Como treinar um líder

Potenciais líderes no Corpo de Fuzileiros Navais dos Estados Unidos passam por um processo de treinamento e seleção de dez semanas na Escola de Candidatos a Oficial (OCS), em Quantico, Virgínia. Entre os muitos testes administrados na OCS está o Curso de Reação à Liderança (LRC). O LRC consiste numa série de vinte etapas com miniobstáculos (resolução de problemas, para ser mais específico). Trabalhando em grupos de quatro, os *marines* enfrentam desafios como conceber um modo de atravessar com pessoas e material um "risco aquático" (jargão militar para uma lagoa) em certo período de tempo usando apenas três pranchas de tamanhos diferentes. O Corpo de Fuzileiros Navais usa o LRC para avaliar as qualidades de liderança de seus futuros oficiais. Leva em conta se os candidatos seguem um líder ou lidam bem com a adversidade e se são capazes de compreender rápido a situação e priorizar e delegar tarefas. O espantoso é que, entre todas as qualidades que são avaliadas nesses futuros líderes, a aptidão para superar o obstáculo não é uma delas. Não é nem necessário superar o obstáculo de fato. Em outras palavras, o Corpo de Fuzileiros Navais foca os *inputs*, os comportamentos, e não os *outputs*, os resultados. E por um bom motivo. Eles sabem que bons líderes às vezes fracassam numa missão e que maus líderes às vezes têm sucesso. Não é a capacidade de ter sucesso que faz de alguém um líder. É a exibição das qualidades de liderança que faz de alguém efetivamente um bom líder. Qualidades como honestidade, integridade, coragem, resiliência, perseverança, critério no julgamento e capacidade de tomar decisões – como os fuzileiros navais aprenderam após anos de tentativa e erro – são mais passíveis de engendrar o tipo de confiança e cooperação que, no decorrer do tempo, aumenta a probabilidade de que uma equipe tenha êxito com mais frequência do que fracasso. Uma inclinação mais para a vontade que para os recursos, mais para a confiança que para o desempenho, aumenta a probabilidade de que uma equipe desempenhe, com o tempo, cada vez mais em níveis mais altos.

A capacidade de uma organização de formar novos líderes é muito importante. Pense numa empresa como sendo uma planta. Por mais forte que seja e por mais alto que ela cresça, se não puder produzir novas sementes – se for incapaz de produzir novos líderes – sua capacidade para progredir em gerações futuras é zero. Uma das principais tarefas de qualquer líder é criar novos líderes. Ajudar a treinar o tipo de líder que sabe como montar empresas equipadas para o Jogo Infinito. Contudo, se os líderes atuais estiverem mais focados em fazer com que sua planta seja a maior possível, então, como uma erva daninha, ela fará tudo que puder para crescer, independentemente do impacto que isso possa causar no jardim (ou mesmo nas perspectivas a longo prazo para a própria planta).

Conheço muitas pessoas que ocupam os cargos mais altos de uma organização e que nem por isso são bons líderes. Podem estar no topo da hierarquia, e podemos estar fazendo o que nos ordenam porque elas têm autoridade sobre nós, mas isso não quer dizer que confiamos nelas ou que deveríamos segui-las. Outras pessoas talvez não tenham posto hierárquico formal ou autoridade sobre nós, mas assumiram o risco de cuidar de seu pessoal. São capazes de criar um espaço no qual podemos ser nós mesmos e nos sentirmos seguros compartilhando nossas ideias. Confiamos nessas pessoas, as seguiríamos por toda parte e de boa vontade iríamos além do dever por elas não porque somos obrigados, mas porque queremos.

O Corpo de Fuzileiros Navais não está interessado se seus líderes são capazes ou não de atravessar um "risco aquático" ou outro obstáculo arbitrário qualquer. Está interessado em treinar líderes que sejam capazes de criar um ambiente no qual cada subordinado sinta que confia nele e se sinta confiante, de modo que possam trabalhar juntos para atravessar qualquer obstáculo. Os fuzileiros sabem que um clima de liderança fundamentado na confiança é que ajuda a assegurar que terão sucesso mais frequentemente.

Esta é uma frase que vou repetir bastante neste livro: líderes não são responsáveis pelos resultados, líderes são responsáveis pelas pessoas que são responsáveis pelos resultados. E o melhor modo de impulsionar o desempenho numa organização é criar um ambiente de trabalho no qual a informação pode fluir livremente, erros podem ser relatados e ajuda pode ser oferecida e aceita. Em resumo, um ambiente no qual as pessoas se sintam seguras. Essa é a responsabilidade de um líder.

Foi isso que Rick Fox fez. Construiu uma equipe de alto desempenho criando um ambiente no qual a tripulação sentia-se segura para ser vulnerável uns com os outros. Os SEALs fazem isso. Constroem equipes de alto desempenho priorizando a confiabilidade individual em vez do desempenho. Alan Mulally fez isso. Ele ajudou a Ford a se tornar novamente uma empresa de alto desempenho, mas só depois de ter criado um espaço seguro para que seu pessoal falasse a verdade sobre a situação da empresa. E é isso que Jack Cauley está fazendo... e os resultados têm sido transformadores. Quando líderes priorizam a confiança em vez do desempenho, quase sempre o desempenho não fica muito longe. No entanto, quando líderes decidem focar no desempenho acima de tudo, inevitavelmente a cultura irá sofrer.

Capítulo 8

O DECLÍNIO ÉTICO

É difícil imaginar que isto realmente tenha acontecido. Está longe de ser ético, em qualquer aspecto. É difícil imaginar que um grupo de pessoas, que tenho certeza que se consideram boas e honestas, foi capaz de se comportar de um modo que, sob qualquer critério, é totalmente errado.

Desde meados de 2011 até meados de 2016, funcionários do banco Wells Fargo abriram mais de 3,5 milhões de contas bancárias falsas. Como relatou o *The New York Times* em 2016: "Alguns clientes notaram o engodo quando receberam cobranças de taxas indevidas, cartões de crédito ou débito que não tinham solicitado ou começaram a ser cobrados por dívidas em contas que não sabiam que existiam. Mas a maioria das contas falsas passava despercebida, pois os funcionários rotineiramente as fechavam pouco depois de abri-las."[1]

No fim, 5.300 funcionários do Wells Fargo foram demitidos por seu envolvimento em práticas fraudulentas.[2] Práticas que o então CEO, John Stumpf, disse ao Congresso americano "serem contra tudo que tem a ver com nossos princípios, nossa ética e nossa cultura". Numa declaração à imprensa, a empresa endossou Stumpf dizendo que "a grande maioria de nossos funcionários faz a coisa certa, diariamente, em benefício de nossos clientes. [...] O que aconteceu é vergonhoso e não representa o que o Wells Fargo é". Em outras palavras, os executivos do Wells Fargo queriam que acreditássemos que os transgressores eram só um pequeno grupo de maçãs podres. No entanto, esse não foi um ato isolado de um pequeno grupo de pessoas; foi resultado da ação de mais de 5 mil funcionários no decurso de alguns anos! O cenário mais provável era o de que a cultura do Wells Fargo teve um caso grave de declínio ético.

Declínio ético é uma condição, numa cultura, que permite que pessoas ajam de maneira antiética para favorecer os próprios interesses, frequentemente às custas dos interesses de outrem, enquanto acreditam falsamente que não feriram seus princípios morais. O declínio ético geralmente começa com pequenas transgressões inócuas que, se não forem reprimidas, continuam a crescer e se complicar.

Apesar de lapsos éticos poderem ocorrer em qualquer lugar, organizações conduzidas com uma mentalidade finita são especialmente suscetíveis ao declínio ético. Como já mencionei em capítulos anteriores, culturas com foco excessivo em alcançar metas financeiras trimestrais ou anuais podem exercer pressão intensa para que as pessoas tomem atalhos, burlem regras e tomem outras decisões questionáveis para poder atingir os objetivos que foram estabelecidos para elas. Infelizmente, os que se comportam de forma dúbia mas alcançam seus objetivos são recompensados, o que envia uma mensagem clara quanto às prioridades da organização. De fato, o sistema de recompensas dessas organizações funciona para incentivar esse tipo de comportamento. Os que alcançam seus objetivos muitas vezes recebem bônus ou promoções, sem que se leve em consideração como chegaram até lá, enquanto os que agem com integridade mas deixam de alcançar seus objetivos são penalizados, normalmente sendo pouco reconhecidos e preteridos para uma promoção. Isso envia uma mensagem a todas as pessoas na organização: atingir metas é mais importante do que agir eticamente.

Os que de início tinham achado detestável seguir os exemplos antiéticos de seus colegas sucumbem à pressão quando começam a perceber que essa é a única maneira de conseguir um bônus, avançar na carreira ou mesmo protegê-la. Eles perdem a perspectiva e passam a racionalizar suas transgressões éticas. "Tenho que pôr comida na mesa", "É isso que a direção quer", "Não tenho escolha" e, a minha favorita, "Esse é o padrão na indústria" são todas racionalizações que dizemos a nós mesmos ou aos outros para ajudar a mitigar todo sentimento de culpa ou responsabilidade que possamos ter.

Como seres humanos, somos abençoados, e também amaldiçoados, com nosso pensamento racional. Estamos sempre tentando entender o mundo à nossa volta. Somos capazes de resolver equações complexas e temos aptidão para sermos introspectivos. É por sermos dotados de pensamento racional e analítico que somos capazes de resolver problemas difíceis e desenvolver tecnologias. Também sabemos usar essa capacidade para explicar ou justificar nosso comportamento quando sabemos que ele viola códigos éticos profundamente estabelecidos, contribuindo para contornar algum sentimento de culpa devido a uma decisão ou ação que tomamos. É como roubar algo de um amigo rico e dizer: "Ele nem vai perceber. Além disso, pode comprar outro depois." Podemos racionalizar isso do jeito que quisermos; ainda assim teremos roubado algo de nosso amigo. Quando essas racionalizações se tornam lugar-comum numa organização, a bola de neve vai crescendo até o comportamento antiético impregnar a organização inteira e, em casos extremos, levar ao tipo de corrupção que ocorreu no Wells Fargo.

Uma cultura de pressão, demandas e incentivos

Em 1973, dois professores de psicologia da Universidade de Princeton, John M. Darley e C. Daniel Batson, conduziram um experimento para compreender melhor como variáveis situacionais podem afetar a ética e, mais especificamente, como a pressão impacta nossa vontade de ajudar alguém que está sofrendo. Eles pediram a um grupo de seminaristas que atravessassem o campus para dar uma palestra sobre a história do Bom Samaritano. O Bom Samaritano é uma parábola do Novo Testamento na qual um samaritano, indo de Jericó para Jerusalém, é a única pessoa que se detém para prestar ajuda a um homem que foi espancado, roubado e deixado à beira da estrada.

Para recriar a cena, os professores contrataram um ator para ficar caído numa viela como se tivesse sido assaltado ou ferido. Os estudantes teriam que passar por ele ao cruzar o campus. O experimento foi feito com um grupo diferente de estudantes de cada vez, e os professores faziam pressão para ver como isso afetava seu comportamento. Um grupo sofria muita pressão para se apressar no trajeto pelo campus: "Você está atrasado", diziam os experimentadores a cada membro. "Eles já estão esperando você há vários minutos. É melhor se apressar. O assistente deve estar esperando. Só deve levar um minuto para você chegar lá." Um segundo grupo sofria uma pressão mediana: "O assistente está pronto para receber você, então é melhor já ir para lá." E o último grupo era levemente pressionado: "Ainda restam alguns minutos para eles estarem preparados para você, mas já pode ir andando. Se tiver que esperar, não será por muito tempo."

Quando a pressão era baixa, 63% dos estudantes pararam para ajudar o homem ferido. Com pressão mediana, 45% pararam para lhe dar assistência. E, sob muita pressão, apenas 10% dos estudantes pararam para ajudar alguém em aparente dificuldade. Alguns até passaram por cima dele. A conclusão era insofismável. Os estudantes eram pessoas boas, que davam importância ao ato de ajudar o próximo. Estavam estudando para serem padres, pelo amor de Deus. No entanto, quando ficavam sob pressão, no caso pressão de tempo, sua disposição para fazer o bem cedia às demandas que lhes eram apresentadas. E era sob condições de extrema pressão que o pessoal no departamento de vendas do Wells Fargo era obrigado a operar.

Aliado ao fato de haver muitas repercussões positivas para aqueles que fossem capazes de alcançar as metas, independentemente de como tivessem conseguido isso, havia também um sentimento de medo naqueles que não conseguiam. Alguns trabalhadores se lembram de terem sido solicitados a vender algo entre oito e vinte produtos diferentes por dia, e, quando não atingiam as metas, eram repreendidos pelos gerentes. Uma funcionária lembra-se de seu gerente ter dito: "Se você não bater suas metas, não estará trabalhando em equipe. E, se prejudicar sua equipe, será despedida. E isso permanecerá no seu histórico." Ela disse a seus supervisores que percebeu não haver uma maneira ética com a qual pudesse satisfazer suas expectativas e entrou em contato com o RH diversas vezes, de forma anônima, para fazer a denúncia.[3] Esse é o tipo de resposta que esperaríamos ou gostaríamos de receber de um funcionário quando há evidência de falta de ética numa grande organização. Mas, no fim, o Wells Fargo decidiu demiti-la e não levar em conta suas preocupações. A expectativa era que os funcionários nunca dissessem quando as metas eram impossíveis; esperava-se que eles encontrassem uma forma de atingi-las, fosse qual fosse. Como confessou outro funcionário do banco: "A norma era fazer as vendas de forma antiética. Era isso que nos ensinavam, e era isso que fazíamos."[4]

O declínio ético não é um evento. Não é algo que chega de repente, como se acionado por um interruptor. É mais como uma infecção, que piora com o tempo. As investigações sobre o escândalo do Wells Fargo descobriram um relatório interno de uma década antes da irrupção do escândalo revelando que as condições tóxicas da organização e provas de comportamento antiético já tinham sido identificadas. O relatório original concluiu que havia um "incentivo ao ato de ludibriar" baseado no medo de perder o emprego.[5] Apesar de as conclusões do relatório terem sido enviadas ao auditor-chefe do banco e aos representantes do

RH, entre outros, a liderança manteve-se omissa. Além disso, em 2010, um ano antes de a prática de criar contas falsas começar, foram relatadas setecentas reclamações relacionadas a táticas de vendas questionáveis na empresa (a junta de diretores relatou que nada sabia sobre isso).[6] John Stumpf tomou conhecimento de que sua empresa tinha problemas sistêmicos desde pelo menos 2013.[7] Um relatório da diretoria de 2017 revelou, no entanto, que ele sabia de casos individuais pelo menos desde 2002, cerca de quinze anos antes de o escândalo vir à tona! O mesmo relatório de 2017 dizia que Carrie Tolstedt, ex-chefe do departamento, não só sabia das práticas questionáveis de venda como "fortalecia a cultura de alta pressão nas vendas". Ela era também, segundo o relatório, "notoriamente resistente à intervenção externa e à supervisão" e, juntamente com outros líderes, "desafiava e resistia ao escrutínio".[8] Só se pode supor que ou ela estava sujeita a pressões semelhantes e tinha medo de denunciá-las, ou era generosamente remunerada pelos resultados que seu departamento conseguia.

Apesar das declarações públicas de que o escândalo estava restrito a grupos de vendas no varejo e que a maior parte da empresa "fazia a coisa certa", havia muitas evidências de que o declínio ético era amplo e disseminado em todo o banco. Na mesma época do escândalo das contas falsas, por exemplo, o banco estava mentindo sobre os empréstimos que vendia. Em 2018, o Wells Fargo foi multado em 2,09 bilhões de dólares para resolver essa questão.[9] A divisão de seguros de automóveis do banco concordou também em devolver 80 milhões de dólares a clientes por ter vendido seguros automotivos que eles não tinham solicitado.[10] E a divisão do atacado, o grupo que Tim Sloan dirigiu antes de substituir John Stumpf como CEO, foi investigada por outros lapsos éticos que podem ter incluído lavagem de dinheiro.[11]

Posteriormente, o Wells Fargo admitiu a responsabilidade por ter aberto esses milhões de contas falsas e foi multado num total de 185 milhões de dólares. Desconsiderando o constrangimento temporário e o impacto a curto prazo no valor de suas ações, a punição recebida não passou de um puxão de orelha. Para pôr as coisas em perspectiva, os 185 milhões representam menos de 1% do lucro total do Wells Fargo, de 22 bilhões de dólares no ano em que foi multado, e apenas 0,2% de sua receita total de aproximadamente 95 bilhões.[12] É o equivalente a alguém que tenha um salário de 75 mil dólares anuais ser multado em 150 dólares. Não é uma punição séria.

Nenhum dos líderes do banco foi considerado responsável por perpetuar uma cultura que incentivava seus funcionários a cometerem fraude (o que é crime). Ninguém foi para a prisão. Não houve sequer um único indiciamento. Na verdade, John Stumpf perdeu seu emprego e 41 milhões de dólares de patrimônio líquido não investido, mas só foi demitido devido à pressão pública. E ainda saiu com mais de 134 milhões de dólares em contas de pensão e ações.[13] Assim, líderes são capazes de se omitir e não supervisionar culturas nas quais ocorre declínio ético sem punição e ainda podem efetivamente lucrar com isso... o que os incentiva a manter o status quo. Eu, pessoalmente, acho bem perturbador que líderes recebam crédito por sua "cultura de desempenho" mas não assumam responsabilidade por uma cultura consumida por declínio ético.

Quando pessoas boas fazem coisas ruins

Como qualquer um que sofra de uma alergia letal a amendoim, picadas de abelha ou mariscos sabe, uma injeção de epinefrina pode salvar sua vida. E, considerando sua participação de mercado de 90%, é alta a probabilidade de que obtenha essa injeção com a EpiPen. EpiPen é a marca da caneta para injetar epinefrina, substância que reverte o choque anafilático. O produto é essencial para aqueles com alergias extremas e, como tem validade de doze meses, deve ser substituído anualmente.

Ao preço de 100 dólares pelo pacote com duas canetas, é um ótimo negócio.

Em 2007, uma empresa chamada Mylan comprou os direitos da marca EpiPen. Dado o domínio que a marca tinha do mercado, aliado ao fato de que não havia opção genérica na época, não havia nada que impedisse a Mylan de elevar o preço do produto a uma média de 22% ao ano. Vendo o impacto que esses aumentos de preço tinham no valor de suas ações, em 2014 a diretoria decidiu dobrar a aposta. Ofereceram a funcionários selecionados uma oportunidade única: se duplicassem os ganhos da empresa no mercado de ações nos cinco anos seguintes, teriam uma participação no que poderia chegar a centenas de milhões de dólares em bônus. Os cinco executivos de ponta, sozinhos, poderiam ganhar cerca de 100 milhões.[14] Sem dúvida em resposta a esse incentivo, no ano seguinte a empresa voltou a aumentar o preço da EpiPen, mas dessa vez a taxa passou de 22% para 32%.[15] Após o 15º aumento desde 2009, em 2016 a Mylan anunciou que um par de EpiPens custaria agora – um recorde de todos os tempos – 600 dólares, representando um aumento de 500% em apenas seis anos.[16] A Mylan provavelmente teria continuado a aumentar o preço se não tivesse ocorrido uma grande revolta pública e um inquérito no Congresso americano.

Quando lhe perguntaram depois se lamentava o ocorrido, a CEO, Heather Bresch, respondeu: "Não vou pedir desculpa por operar dentro do sistema."[17] (A propósito: responsabilidade é quando somos responsáveis por nossas ações, não quando atribuímos ao sistema a culpa pelas nossas ações.)

O declínio ético na Mylan foi tão completo que Bresch pareceu não perceber que ela ou sua empresa tinham feito algo errado. Na verdade, Bresch, de forma estarrecedora, alegou que o escândalo da EpiPen era uma coisa boa porque chamou a atenção para abusos no sistema de saúde e serviu como catalisador para uma mudança. Claro que se a Mylan tivesse uma cultura que priorizasse a ética em vez dos ganhos e acreditasse que sua responsabilidade primordial era com a Causa Justa – e não consigo mesma ou com seus acionistas –, a empresa poderia ter usado seu poder no mercado para ser a paladina das mudanças muito antes e com muito menos bafafá. Agir de forma antiética, ser pega com a mão na massa, recusar-se a aceitar a responsabilidade pelos seus atos e depois culpar o sistema não faz de ninguém uma Joana d'Arc.

Aliás, dois anos após o escândalo da precificação da EpiPen, a Mylan foi obrigada a pagar 465 milhões de dólares ao governo federal americano por ter cobrado a mais por EpiPens ao classificá-las erroneamente como medicamentos genéricos. Como explicou o procurador federal William D. Weinreb: "A Mylan classificou enganosamente o nome de sua marca, EpiPen, para lucrar às custas do programa Medicaid. [...] Os contribuintes esperam, com razão, que empresas como a Mylan, que recebem pagamentos de programas financiados pelos contribuintes, sigam escrupulosamente as regras."[18] Talvez a Mylan sofra de uma grave alergia a agir eticamente.

Mas não pode ser apenas uma estrutura de incentivos falha que leva pessoas boas a fazer coisas ruins. Se fosse só isso, seria de se esperar que pessoas que adotassem esses comportamentos ficassem consumidas pela culpa e não conseguissem dormir à noite. No entanto, segundo todas as evidências, elas parecem ficar totalmente relaxadas quanto às escolhas que fizeram – e, no caso de Bresch, na defensiva e sem pedir desculpas. Segundo cientistas sociais que estudaram o fenômeno do declínio ético, aqueles que cometem essas violações de confiança não são maus, mas padecem de autoenganação.

Autoenganação

Os humanos são capazes de encontrar diversas formas inteligentes de racionalizar seus comportamentos e de enganar a si mesmos ao pensar que as decisões eticamente questionáveis que tomam são corretas e justificáveis, mesmo que qualquer pessoa sensata veja nessas ações exatamente o contrário. Ann Tenbrunsel, professora de ética nos negócios da Universidade de Notre Dame, e David Messick, professor emérito do Departamento de Administração e Organização da Faculdade de Administração Kellogg, da Universidade Northwestern, estão entre os que estudaram a autoenganação como um mecanismo de declínio ético em empresas. Em seu trabalho, identificaram várias maneiras simples e comuns pelas quais nós, como indivíduos e como grupo, somos capazes de nos envolver num comportamento antiético sem perceber.[19]

Uma dessas formas vem das palavras que utilizamos. O uso de eufemismos, para ser exato. Eufemismos permitem que nos desassociemos do impacto de decisões ou ações que, vistas de outro ângulo, acharíamos abomináveis e difíceis de lidar. Políticos estavam conscientes de que os americanos acham a tortura desumana e inconsistente com seus valores. Assim, um "interrogatório incrementado" passou a ser a maneira de proteger os cidadãos depois do 11 de Setembro sem fazê-los se sentirem mal com isso.

Fazemos a mesma coisa nos negócios. É uma prática comum escolher uma linguagem que suaviza ou obscurece o impacto de nosso comportamento. Falamos sobre gerenciar "externalidades" em vez de falar diretamente sobre os "efeitos colaterais que nossas práticas industriais causam a pessoas que trabalham em nossas fábricas e ao meio ambiente". "Gamificação para incrementar a experiência do usuário" é mais fácil de engolir do que "Encontramos um modo de fazer as pessoas ficarem viciadas em nosso produto, para aumentar nossos resultados". Transformar pessoas em *data points* e *data mining* é um modo mais palatável de dizer que estamos rastreando cada clique, cada viagem e cada hábito pessoal delas. Nós precisamos "realinhar os recursos para a estratégia corporativa" em vez de dizer que precisamos demitir algumas pessoas; e o agente de venda de bilhetes on-line nos cobra uma "taxa de conveniência" em vez de chamá-la pelo que ela é: uma cobrança extra.

As palavras que escolhemos podem nos ajudar a nos distanciarmos de qualquer sentimento de responsabilidade. Elas podem, no entanto, nos ajudar a agir de forma mais ética também. Imagine se começarmos a chamar as coisas daquilo que realmente são. Se o fizermos, talvez arrumemos tempo para encontrar maneiras mais criativas, e mais éticas, de atingir nossos objetivos. E ao fazer isso, estaremos efetivamente fortalecendo nossas culturas no processo. Mas voltarei a falar sobre isso nos próximos capítulos.

Outro tipo de autoenganação que contribui para o declínio ético é quando nos removemos da cadeia de causação, ou, como fez a CEO da Mylan, culpamos "o sistema" por nossas transgressões. Às vezes, podemos nos excluir de tal maneira da corrente que causa tudo isso a ponto de na verdade atribuirmos toda a responsabilidade da ação de nossos produtos no consumidor ao próprio consumidor. Embora seja um conceito legalmente legítimo, o *caveat emptor*, ou "cuidado com o comprador", costuma ser citado por empresas para se desassociarem do impacto de suas decisões. "Se não gostam do produto", diz o conceito, "não são obrigados a comprá-lo". Essa é a resposta invocada por executivos quando questionados quanto a sua responsabilidade pelos efeitos negativos de seus produtos. Embora a escolha do consumidor seja realmente um fator, isso não pode remover e de fato não remove completamente uma organização da cadeia de causação. Sim, o fumante é responsável pelo dano que o ato de fumar traz à sua saúde, mas os fabricantes de cigarro ainda fazem parte dessa corrente.

Assumir a responsabilidade legal não libera uma empresa de sua responsabilidade ética. Depois que aceitamos seus termos e condições, por exemplo, muitas empresas acreditam que estão livres de qualquer responsabilidade. Legalmente isso pode ser verdade, mas, em termos éticos, não é. Instagram, Snapchat, Facebook e muitas empresas de jogos on-line, por exemplo, não podem negar seu papel em fazer o que é cada vez mais aceito como "tecnologia viciante" simplesmente porque ainda não existe uma lei contra isso. E fica ainda pior quando elas, conscientemente, acrescentam funções como a de scroll infinito, botões de "curtir" e reprodutor automático de conteúdo com a intenção de nos manter conectados por mais tempo. Essas empresas quase sempre explicam que acrescentam essas características, ou que precisam colher nossos dados pessoais, para "incrementar a experiência do usuário". Apesar de realmente colhermos alguns benefícios com essas decisões, há um custo também. Avaliar os benefícios em relação aos danos que podem causar ou à possibilidade de violarem nossos valores é exatamente a função da ética! Nada sai de graça.

Num artigo de opinião no *The Washington Post*, em 2019, Mark Zuckerberg, fundador e CEO do Facebook, respondeu a algumas críticas à sua empresa pedindo ao governo mais legislação. "Creio que precisamos que os governos e as agências reguladoras tenham um papel mais ativo nesse assunto", escreveu ele. "Atualizando as leis para a internet, podemos preservar o que ela tem de melhor." É como se estivesse dizendo que, tendo em vista a definição de Milton Friedman quanto à responsabilidade nos negócios, o Facebook só pode ser ético se as leis e o "costume ético" exigirem que o seja. É triste que tenhamos chegado ao ponto em algumas indústrias, como a da tecnologia e a das mídias sociais, de termos que legitimar a ética. Mas, afinal, como chegamos até aqui?

Tenbrunsel e Messick identificam a proverbial "bola de neve" como outro fator que possibilita o tipo de autoenganação que leva ao declínio ético. A cada transgressão ética que é tolerada, pavimentamos o caminho para mais e maiores transgressões. Pouco a pouco, mudamos, dentro de uma cultura, as normas do que é um comportamento aceitável. "Se todos os outros estão fazendo isso, deve ser correto."[20]

Quando líderes mantêm um foco excessivo no jogo finito, essas bolas de neve passam despercebidas com bastante frequência ou são intencionalmente ignoradas por serem tão lucrativas. Numa empresa com mentalidade infinita, uma ideia antiética projetada para aumentar o balanço é sempre "uma péssima ideia". Numa organização obcecada pelo jogo finito e sofrendo com o declínio da ética, a mesma ideia será "fantástica, não acredito que não pensamos nisso antes!". Acrescente a isso uma estrutura de recompensas desequilibrada, que foca apenas o desempenho e ignora a confiabilidade, e os lapsos éticos começam a aumentar de tamanho como se fosse uma bola de neve deslizando montanha abaixo em alta velocidade até, por fim, chegarem a um declínio ético totalmente inflado.

Como na clássica história do sapo na panela em que a água vai esquentando aos poucos, os aumentos graduais que a Mylan promoveu no preço da EpiPen sem dúvida tinham como objetivo diminuir o choque (ou aumentar a aceitação) de um enorme e súbito aumento de preço para os consumidores. No entanto, isso também é um exemplo do declínio ético em ação. Ao aumentar o preço com o tempo (mesmo um curto período), eles viram suas métricas dispararem. À medida que os números subiam, muitos provavelmente começaram a pensar como iam gastar seu bônus. Focados no maciço aumento de seus ganhos individuais, os executivos da Mylan foram capazes de se sentir eticamente confortáveis com suas decisões. E assim aumentaram o ritmo dos aumentos de preço para alcançar ou superar suas metas ainda mais rápido. É como se estivessem agindo como viciados, incapazes de esperar pacientemente pela próxima dose.

Mylan e Wells Fargo são exemplos extremos de declínio ético. E esses exemplos extremos são úteis para que possamos ver a mecânica do declínio ético em pleno funcionamento. Mas não nos deixemos enganar... e não nos sintamos confortáveis. O fato de não existir fraude ou escândalo não significa que não há problema. De fato, se examinarmos de perto, começaremos a ver sinais de declínio ético em muitos negócios. Truques de contabilidade que reduzem a carga de impostos, por exemplo. Ou oferecer um desconto num produto, mas obrigar o consumidor a passar por tantas etapas – destacar a aba da caixa, preencher um formulário, anexar o recibo, enviar pelo correio – que a maioria das pessoas, e a empresa sabe muito bem disso, não se dará o trabalho de fazer. Ou empresas de alimentos ou bebidas que exageram os benefícios de um produto para a saúde e tentam esconder alguns dos ingredientes prejudiciais, ou manipulam o tamanho dos dados na embalagem para parecer que o produto tem menos açúcar ou menos calorias do que realmente tem. Nada disso é ilegal. Tudo isso é um pouco duvidoso. E quanto mais permitimos que decisões como essas sejam tomadas, mais esse comportamento se torna "normal" ou "o padrão da indústria".

Lembre-se: o declínio ético tem a ver com a autoenganação. Qualquer um, independentemente da bússola moral, pode sucumbir. Os líderes que apontamos e vilificamos por conduzirem seus negócios de forma antiética em troca de uma bela recompensa não acham que estão fazendo nada errado; que incentivo teriam para agir de modo diferente? Num caso como o da Mylan e o do Wells Fargo, foi preciso um escândalo público para expor a questão. Na maioria das empresas, não haveria uma crise como essa para nos ajudar a enxergar alguns desses truques sujos. E, enquanto o declínio ético não for constatado, é alta a probabilidade de que, posteriormente, alguma coisa dê errado. E o custo, não só para as empresas, mas também para seus funcionários, clientes e investidores, será muito maior do que qualquer custo com o qual arcaríamos para consertar as coisas agora.

Ao assumir como CEO no Wells Fargo, Tim Sloan admitiu que a direção "reconheceu tarde demais a dimensão e a seriedade do problema" e prometeu que isso "jamais voltaria a se repetir".[21] Essas promessas são fáceis de fazer, mas não tão fáceis de cumprir. Declínio ético pode ser extremamente difícil de reverter. Quase impossível, se os líderes que estão tentando mudar a cultura continuarem a ter mentalidade finita em suas abordagens. Porque o que fazem líderes com mentalidade finita quando se dispõem a mudar uma cultura que sofre de declínio ético? É, você adivinhou. Eles aplicam uma solução finita. (Dica: isso não funciona.)

Quando a estrutura substitui a liderança

Eu estava trabalhando em uma grande agência de publicidade. Após meu primeiro ano na empresa, a liderança decidiu implementar um apontamento de horas. Diferentemente de uma firma de advocacia, em que um advogado cobra pelo número efetivo de horas que trabalha para o cliente, na agência isso seria um modo de a empresa manter controle sobre… Na verdade, ninguém fazia ideia da utilidade daquilo. Era apenas algo que fomos obrigados a fazer.

Eu consegui evitar preencher a minha durante alguns meses (se estivessem controlando como eu usava meu tempo, não seria necessário comunicar à empresa que estava trabalhando 100% do meu tempo com o único cliente que me fora atribuído). Claro, levei uma bronca por não ter preenchido as planilhas. A partir daí, no fim de cada mês eu me debruçava sobre as planilhas e as preenchia de uma vez só – entrando às 9h30, saindo às 17h30. Na verdade, frequentemente eu entrava mais cedo e saía mais tarde, mas quem se importa? Lembro-me de levar as planilhas para meu chefe assinar. Ele olhava para elas e comentava sarcasticamente: "Você com certeza é um trabalhador muito consistente, não é?" E assinava.

É de acreditar que as planilhas de apontamento de horas foram implementadas porque algo estava errado na contabilidade. Talvez um cliente tivesse sido cobrado a mais por um serviço e exigira que a agência provasse que a equipe sênior que lhe tinham prometido que cuidaria de sua conta tinha sido realmente a que cuidara de sua conta, ou algo assim... Para corrigir o problema, um novo processo foi implementado em toda a empresa. Esse tipo de solução é o que o Dr. Leonard Wong chama de Liderança Preguiçosa.

Quando surgem problemas, o desempenho desanda, erros são cometidos ou decisões antiéticas são descobertas, a Liderança Preguiçosa opta por dedicar seus esforços a construir processos que corrijam os problemas em vez de construir apoio a seu pessoal. Afinal, os processos são objetivos e confiáveis. É mais fácil confiar num processo do que nas pessoas. Ou assim pensamos. Na realidade, "os processos sempre nos dirão o que queremos ouvir", assinala o Dr. Wong. "[Processos] nos deixam mais tranquilos", continua ele, "mas talvez não estejam dizendo a verdade".[22] Quando líderes usam processos para substituir o julgamento, as condições para o declínio ético persistem... mesmo em culturas que se consideram no mais alto padrão da moral e da ética.

Soldados, por exemplo, acreditam que detêm um padrão de honestidade e integridade mais elevado do que o do público em geral. E o público em geral também pensa assim. No entanto, em seu trabalho "Lying to Ourselves: Dishonesty in the Army Profession" (Mentindo para nós mesmos: desonestidade na profissão militar), o Dr. Wong e seu parceiro, Dr. Stephen Gerras, ambos oficiais reformados que agora trabalham na Army War College dos Estados Unidos, descobriram declínio ético sistêmico como resultado de processos, procedimentos e demandas excessivas impostos aos soldados. Algumas das coisas que a liderança estava exigindo de seus soldados não eram só pouco razoáveis – eram impossíveis. Exigia-se dos soldados, por exemplo, completar mais dias de treinamento do que dias disponíveis no calendário.[23]

Como no mundo corporativo, a pressão por completar tarefas vem, no Exército, de cima para baixo. No entanto, há também uma imensa dose de pressão que vem de baixo para cima. Num esforço para se destacar, oficiais querem parecer capazes de fazer tudo e fazer bem. Uma falha em completar o que lhes é requerido pode comprometer a imagem de um comandante, provocar reprimendas e afetar negativamente as promoções. Apresentar um relatório falso do cumprimento de tarefas ajuda a manter o sistema funcionando e mantém suas carreiras no rumo certo. E, como a punição por ser honesto é, muitas vezes, maior do que a punição por mentir, os soldados são deixados numa posição na qual sentem que têm que mentir ou enganar para poder cumprir suas ordens.

O resultado é que se tornou um verdadeiro lugar-comum para os soldados encontrar maneiras criativas de completar as tarefas que lhes são exigidas enquanto sentem que seus altos padrões morais permanecem intactos. Um exemplo que Wong e Gerras dão envolve as exigências do treinamento de última hora pelo qual as unidades têm que passar antes de serem alocadas no Afeganistão ou no Iraque. Os soldados precisam inserir os dados da carteira de identidade no computador para autenticar sua identidade, a fim de completar o treinamento. Um oficial admitiu que recolheu o documento dos nove homens de seu esquadrão e escolheu o mais capacitado do grupo para completar o treinamento de todos eles, nove vezes, para que todos obtivessem o certificado.[24]

Em vez de considerar suas ações como enganação ou mentira, muitos soldados as veem simplesmente como um ato de "ticar os quadradinhos", "parte da burocracia", ou apenas "fazer o que a liderança quer que a gente faça". Alguns não veem suas ações como antiéticas porque em geral consideram as demandas tão triviais que ficam fora de qualquer padrão de integridade ou honestidade, como no meu caso das planilhas de apontamento de horas. É como dizer a alguém que temos que cancelar planos por "razões familiares" quando na verdade não há razão familiar alguma; só queremos cair fora daquele evento sem magoar os sentimentos de ninguém. E, embora estejamos mentindo, como é só uma mentirinha "inofensiva", ainda acreditamos que somos honestos.

No entanto, quando essas transgressões aparentemente pequenas se infiltram numa cultura, isso é sinal de declínio ético. Lembre-se de que a própria definição de declínio ético fala de envolvimento em comportamento antiético enquanto se acredita estar agindo de acordo com nosso código moral ou ético. Assim como no mundo corporativo, se os atos antiéticos cometidos pelos soldados levassem a consequências mais graves – ao ultraje público, por exemplo –, é provável que os soldados fossem realmente punidos (e o restante do Exército, submetido a um treinamento on-line adicional para evitar que algo assim se repetisse no futuro, é claro).

Há uma grande ironia em tudo isso. Quando aplicamos soluções de mentalidade finita a problemas de declínio ético criados devido a uma mentalidade finita, o que obtemos é mais declínio ético. Quando usamos processos e estruturas para resolver problemas culturais, estamos, em geral, criando mais mentira e enganação. Mentiras pequenas tornam-se mentiras enormes. E esse comportamento passa a ser considerado normal.

Liderança Preguiçosa não é eufemismo para maus líderes e pessoas ruins. Assim como uma pessoa que opta por não praticar exercícios não é, por isso, uma pessoa ruim. Decisões tomadas por uma liderança preguiçosa frequentemente podem ser bem-intencionadas. No caso do Exército, ou de qualquer grande organização, aliás, lideranças podem acreditar genuinamente que todas as exigências extras que elas fazem aos soldados são úteis. Mas, como líderes seniores raramente são submetidos a tais exigências extras, podem estar alheios aos problemas que suas "soluções" causam. Se tivessem consciência disso, ou então também estivessem sujeitos à hipocrisia, à disfunção ou a uma burocracia excessiva, eles, assim como meu chefe na agência, possivelmente se tornariam cúmplices dessa charada. Quando isso acontece, esses líderes por vezes também se envolvem em racionalização e autoenganação. E a bola de neve vai aumentando.

Se o declínio ético pode ocorrer em lugares nos quais a integridade é levada realmente a sério, como entre os militares, então pode ocorrer em qualquer lugar. E ocorre. Por mais que eu tente, nunca será bastante salientar quanto o declínio ético é comum em nossas empresas e instituições. Contudo, mais estrutura não é um antídoto. Processos são muito bons para gerenciar uma cadeia de suprimentos, por exemplo. Procedimentos ajudam a melhorar a eficácia industrial. O declínio ético, no entanto, é um problema relacionado a pessoas. E, apesar de parecer contraintuitivo, precisamos de pessoas – não de mais papelada, treinamento ou certificados – para resolver problemas em relação a pessoas.

O melhor antídoto – e vacina – contra o declínio ético é uma mentalidade infinita. Líderes que dão a seu pessoal uma Causa Justa para levar adiante e lhes dão a oportunidade de trabalhar com uma Equipe de Confiança estão construindo uma cultura na qual seus funcionários podem trabalhar com metas de curto prazo enquanto também levam em conta a moralidade, a ética e o impacto mais amplo das decisões que tomam para alcançar tais metas. Não porque alguém disse que precisavam fazer isso. Não porque existe uma lista de tarefas que exige isso. Não porque fizeram o curso on-line da empresa sobre "como agir eticamente". Mas porque é o natural a fazer. Agimos de forma ética porque não queremos fazer nada que prejudique o avanço da Causa Justa. Quando sentimos que somos parte de uma Equipe de Confiança, não queremos falhar com nossos colegas de equipe. Sentimo-nos responsáveis pela equipe e pela reputação da empresa, não só por nós mesmos e nossas ambições pessoais. Quando nos sentimos parte de um grupo que se importa conosco, queremos fazer o que é certo e deixar nossos líderes orgulhosos. Nossos padrões se elevam naturalmente.

Como os animais sociais que somos, reagimos ao ambiente em que estamos. Ponha uma pessoa boa num ambiente que sofre de declínio moral e essa pessoa ficará suscetível a lapsos éticos. Da mesma forma, pegue uma pessoa, mesmo que tenha agido de forma antiética no passado, e a ponha numa cultura mais forte, baseada em valores, e essa mesma pessoa também agirá de acordo com os padrões e as normas desse ambiente. Como já afirmei antes, líderes não são, por definição, responsáveis pelos resultados. Eles são responsáveis pelas pessoas que são responsáveis pelos resultados. É uma tarefa que requer atenção constante, porque é algo composto de pequenas coisas, e essas coisas em algum momento podem se romper.

Líderes de mentalidade infinita aceitam que a criação de uma cultura resistente ao declínio ético exige paciência e trabalho árduo. Exige dedicação a uma Causa, um viés para vontade e não para recursos, e a capacidade de fomentar Equipes de Confiança. Pode levar mais de um trimestre ou de um ano (dependendo do tamanho da empresa) para sentir o impacto do investimento. E, uma vez estabelecidos (ou restabelecidos) os padrões éticos, eles têm que ser vigilantemente mantidos. Se o declínio ético for empoderado por autoenganação, fomentar um comportamento ético exigirá total honestidade e constante autoavaliação. Lapsos éticos existem e são parte do que nos faz ser humanos. O declínio ético, no entanto, não é parte da condição humana. Declínio ético é uma falha da liderança e um elemento controlável na cultura corporativa. O que significa que o oposto também é verdadeiro. Culturas eticamente fortes são o resultado do esforço de líderes de visão infinita.

Quando agir eticamente é o padrão

Em 25 de novembro de 2011, a marca de roupas esportivas Patagonia publicou um anúncio de uma página inteira no *The New York Times* com a seguinte chamada: "Não compre este paletó." Embora alguns cínicos tenham visto o anúncio como uma jogada de marketing de uma marca cara que poucas pessoas podem comprar, é nos detalhes que encontramos pistas para o tipo de cultura que a Patagonia possui e que inspirou um anúncio desses.

No texto do anúncio, a Patagonia fez algo que outras empresas considerariam impensável. Eles explicaram, em linguagem simples, o custo ambiental para fazer seu produto, nesse caso o campeão de vendas. O texto dizia:

> Fabricar [este paletó] exigiu 135 litros de água, o suficiente para satisfazer a necessidade diária (três copos por dia) de 45 pessoas. Sua jornada, desde sua origem como um tecido de poliéster 60% reciclado até nosso depósito em Reno, gerou cerca de 10 quilos de dióxido de carbono, 24 vezes o peso do produto finalizado. Este paletó deixou para trás, em seu trajeto para Reno, dois terços de seu peso em lixo.[25]

"Há muita coisa a ser feita, e bastante para todos nós fazermos", conclui o anúncio. "Não compre algo de que não necessite. Pense duas vezes antes de comprar qualquer coisa [...] Junte-se a nós [...] para reimaginar um mundo no qual só tomamos o que a natureza é capaz de repor."

"Fizemos o anúncio movidos pela culpa", diz o fundador da Patagonia, Yvon Chouinard. "Todos sabemos que temos que consumir menos."[26] Enquanto outras empresas usam eufemismos para se distanciar do impacto de suas ações, ou para encobri-las, a Patagonia assume a total responsabilidade do papel que desempenha na cadeia de causação e não oferece desculpas ou exceções que possam acabar se transformando em uma bola de neve. São brutalmente honestos com eles mesmos e com o público quanto a como suas ações impactam o mundo, para melhor e para pior. Sabem que, se quiserem sobreviver e prosperar no Jogo Infinito, têm que ser honestos. Não se retratam como vítimas do sistema, e sim como parte dele... e estão fazendo o que podem para mudá-lo. É difícil imaginar a Mylan publicando um anúncio no *The New York Times* explicando que eles sabiam que estavam se aproveitando de pessoas com alergias letais para aumentar o preço das EpiPens em 500% e alegando estar fazendo isso para salientar os abusos antiéticos e ilegais na indústria farmacêutica.

O *post mortem* após qualquer escândalo ou caso de declínio ético quase sempre revela uma falha da liderança. Empresas com cultura parecida com a da Mylan ou a do Wells Fargo estão quase destinadas a sofrer algum tipo de declínio ético. Com base nas palavras de Milton Friedman, seus líderes pensam que estão lá para obter resultados, e suas estruturas de incentivo reforçam essa crença. Como consequência, priorizam resultados financeiros no curto prazo em vez de qualquer sentido de Causa (se é que têm alguma). Operando num viés que favorece os recursos em detrimento da vontade, os líderes voluntariamente ajustam sua cultura para que se encaixem nas suas prioridades. Na Patagonia, como em qualquer outra empresa de mentalidade infinita, eles se voltam para sua Causa Justa para ajudar a estabelecer suas prioridades, e seu comportamento é um reflexo disso. Não se trata apenas de quanto dinheiro vão conseguir ganhar este ano. "Nosso objetivo é ainda estar aqui daqui a cem anos, assim, pensamos em resultados no longo prazo", explica Dean Carter, vice-presidente de Recursos Humanos e Serviços Compartilhados.[27] Ao operar com mentalidade infinita, a intenção da Patagonia não é vencer seus concorrentes. Em vez disso, ela é impulsionada por uma visão de futuro na qual fazem produtos de alta qualidade enquanto causam o menor dano ambiental possível, "valendo-se do negócio para inspirar e implementar soluções para a crise do meio ambiente".[28]

A Patagonia não é uma empresa perfeita. Eles cometem erros e ainda passam por lapsos éticos. Eles reconhecem isso e compreendem que a busca para avançar sua Causa Justa é uma jornada de constante autoaprimoramento. Em um grande número de empresas, o termo "melhora constante" significa aumentar a eficiência. Na Patagonia e em outras empresas de mentalidade infinita, onde as moedas da vontade e dos recursos estão ambas no radar, melhora constante refere-se a cada faceta da organização, inclusive sua cultura e os padrões nos quais essa cultura opera. É isso que as ajuda a manter uma cultura de altos padrões éticos. A Patagonia não tem o objetivo de ser a melhor, mas de ser melhor do que é agora.

Apesar de o anúncio ter parecido inócuo para algumas pessoas, a campanha "Não compre isto" não foi um artifício pontual. Foi típica do incansável esforço da Patagonia no sentido de se manter responsável e em constante aprimoramento. Como se lê no site deles:

> A Patagonia é um negócio em crescimento – e queremos estar no mercado por muito tempo. O teste para nossa sinceridade (ou nossa hipocrisia) será o de que tudo que vendemos seja útil, multifuncional na medida do possível, duradouro, bonito e atemporal, independente de modismos. Ainda não alcançamos esse objetivo por completo.[29]

O texto prossegue admitindo que nem todos os produtos da empresa correspondem a esse critério, mas logo depois ele nos apresenta o Common Threads Iniciative, um programa que eles esperam que possa fazê-los avançar em direção a tais metas. A iniciativa inclui um compromisso de fazer roupas de alta qualidade que durem bastante tempo, para que não tenham que ser substituídas rotineiramente (o que reduz o desperdício); uma promessa de consertar produtos gratuitamente, de modo que as pessoas não os joguem fora (o que reduz o desperdício); uma parceria com o eBay, de modo que as pessoas possam "reciclar" as roupas, comprando e vendendo produtos de segunda mão (o que reduz o desperdício); e, quando um produto finalmente chega a seu fim, a Patagonia vai recolhê-lo para reciclá-lo em vez de termos que jogá-lo no lixo (o que reduz o desperdício).

Enquanto algumas empresas se esforçam para achar brechas que possam explorar para aumentar o desempenho, a Patagonia se esforça para fechar qualquer brecha e incrementar seus valores e suas crenças. Durante a década passada, por exemplo, a Patagonia trabalhou com a ONG Verité para revelar e corrigir abusos trabalhistas no primeiro nível da sua cadeia de suprimentos, nas fábricas que produzem seus produtos. Como resultado de auditorias internas realizadas em 2011, a marca descobriu que, apesar de seus esforços para criar uma cadeia de suprimentos socialmente responsável, havia ainda algumas violações, inclusive múltiplos casos de tráfico humano e exploração no segundo nível, isto é, nas fábricas que transformam a matéria-prima em tecido e outras partes inerentes à produção.[30] Já é notável que a Patagonia levasse em conta, e mais ainda que tentasse melhorar, as condições em seus fornecedores de segundo nível.

"Até mesmo a Associação por um Trabalho Justo [Fair Labor Association – FLA], que realiza auditorias pontuais em fábricas no exterior e ajuda as companhias a melhorar seus programas de responsabilidade corporativa", escreveu Gillian White num artigo no *The Atlantic*, "só exige que as marcas afiliadas auditem, monitorem e façam relatórios sobre seus fornecedores de primeiro nível – nível no qual os casos de tráfico humano são mais fáceis de localizar e combater". Erradicar trabalho forçado é um empreendimento difícil e complexo e requer um grande investimento de tempo e recursos. A maioria das empresas espera para enfrentar isso somente quando é obrigada, sobretudo por constrangimento ou problemas legais. A Patagonia, por iniciativa própria, assumiu o compromisso e o investimento, sabendo que talvez nunca conseguisse resolver o problema por completo. Mas valia a pena tentar. E esse é todo o fundamento para aprimoramento e postura ética constantes. De fato, é um verdadeiro exemplo de uma Causa Justa eficaz: talvez nunca alcancemos o futuro que idealizamos, mas vamos morrer tentando. Isso dá propósito e significado ao trabalho que fazemos na empresa para a qual trabalhamos e nos inspira a continuar nos esforçando.

Empresas com mentalidade finita talvez se preocupem com o fato de que essa abordagem pode ser muito onerosa, prejudicando os lucros, fazendo-os perder clientes ou arruinando sua reputação (atualmente, poucas empresas estão dispostas a admitir, proativamente, que fazem qualquer coisa errada). A Patagonia não está preocupada com isso e não tem medo de se destacar da multidão e assumir grandes riscos. Claro que para isso tem uma enorme vantagem, que ela mesma admite. É uma empresa privada. "É significativa a pressão que existe sobre uma empresa de capital aberto para obter lucro numa base trimestral para investidores cujo interesse é apenas econômico", nos lembra Dean Carter. "Assim, ajuda o fato de [a Patagonia] ser uma empresa privada quando nosso interesse é, certamente, o de causar um impacto maior."[31]

Apesar de a Patagonia ser certificada como uma B Corp – uma companhia que pratica um "capitalismo de acionista" –, ela não é uma instituição de caridade. É uma organização que visa ao lucro e quer ganhar este ano mais dinheiro do que ganhou no ano passado. No entanto, ela também reconhece que ganhar dinheiro não é a razão de sua existência. Como toda boa companhia de mentalidade infinita, ela considera o dinheiro o combustível de que precisa para continuar a avançar a Causa Justa. Para se certificarem como B Corp, empresas são solicitadas a identificar os valores sociais e ambientais mais profundos que elas sustentam e acatam, demonstrar como cumprem suas responsabilidades com seus funcionários, clientes, fornecedores e comunidades – bem como atestar a saúde financeira de seus investidores.[32] A Patagonia sabe que quanto mais bem-sucedido for seu negócio, mais capaz será de manter esse padrão e maior será seu impacto positivo no mundo. Sabe que no longo prazo, se continuar a mirar na Causa Justa e a se resguardar de um declínio ético, vai atrair e liderar quem *compartilha* sua visão e seus valores, e em consequência vai prosperar.

Decisões éticas não se baseiam no que é melhor no curto prazo. Baseiam-se na "coisa certa a ser feita". Enquanto o curto-prazismo, às custas da ética, enfraquece lentamente uma companhia, "fazer a coisa certa" lentamente a fortalece. O modelo da Patagonia, de tentar fazer a coisa certa o máximo possível e colocar as pessoas e o planeta acima do lucro, conquistou para a empresa uma ferrenha lealdade tanto de trabalhadores quanto de clientes. Isso, aliado à boa vontade e à confiança que construiu no mercado, a ajudou a se tornar uma das mais bem-sucedidas, inovadoras e lucrativas empresas de seu setor. Teve sua receita quadruplicada durante a década passada, e os lucros, triplicados. Nas palavras da CEO, Rose Marcario: "Fazer um bom trabalho para o planeta cria novos mercados e [nos] faz ganhar mais dinheiro."[33] (Notem a ordem em que ela apresenta suas prioridades.)

"Até onde somos capazes de ver agora na linha do horizonte", diz Rick Ridgeway, vice-presidente de Questões Ambientais da Patagonia, "continuamos a produzir produtos que permitem às pessoas viver uma vida mais responsável com o vestuário que escolheram. Enquanto houver tantas outras pessoas que não fazem isso... *deveríamos* continuar crescendo". Ainda assim, reconhece Ridgeway, "há um ponto em que nosso crescimento provavelmente vai criar mais problemas do que soluções". Resta ver como a Patagonia vai lidar com esse ponto quando alcançá-lo. Mas o simples fato de estar pensando sobre isso, e falando sobre isso (até mesmo publicamente), é mais um indicador de sua força ética.

Como resultado dessa liderança de mentalidade infinita, a Patagonia não apenas se tornou uma empresa mais resistente ao declínio ético, mas também estabeleceu um critério para o que significa agir eticamente nos negócios. E isso seguindo um projeto preconcebido. "Se pudermos demonstrar à indústria que somos bem-sucedidos", diz o COO Doug Freeman, "acreditamos que seremos um grande exemplo de como é possível fazer negócios de um jeito diferente".[34] A Patagonia atua de um modo que não é bom apenas para ela, é bom para o jogo... e está funcionando. Outras empresas agora seguem seu exemplo.

Capítulo 9

RIVAIS DIGNOS

Sempre que ouvia seu nome, eu sentia certo desconforto. Quando ouvia alguém elogiá-lo, uma onda de inveja tomava conta de mim. Sei que ele é uma boa pessoa e um cara legal. Respeito muito seu trabalho, e ele sempre foi gentil comigo quando nos encontramos em ambientes profissionais. Fazemos o mesmo tipo de trabalho – escrever livros e dar palestras sobre nosso modo de ver o mundo. Embora haja muitos outros que fazem trabalho semelhante ao dele e ao meu, por algum motivo fiquei obcecado por *ele*. Eu queria ser melhor do que *ele*. Eu verificava regularmente as classificações on-line para ver como meus livros estavam vendendo em comparação com os dele. De ninguém mais. Só os dele. Se os meus vendiam mais, eu abria um sorriso de puro regozijo e sentia-me superior. Se ele estivesse melhor do que eu na classificação, eu fechava a cara e ficava de mau humor. Ele era meu principal concorrente, e eu queria vencer.

Então algo aconteceu.

Fomos convidados a dividir o mesmo palco num evento. Embora tivéssemos palestrado no mesmo evento antes, seria a primeira vez que estaríamos efetivamente num palco ao mesmo tempo. No passado, eu falara no primeiro dia, por exemplo, e ele no segundo. Dessa vez, no entanto, estaríamos no palco ao mesmo tempo, sentados um ao lado do outro para uma entrevista conjunta. O entrevistador pensou que seria "divertido" que cada um apresentasse o outro. Eu fui o primeiro.

Olhei para ele, olhei para a plateia, olhei novamente para ele e disse: "Você me deixa incrivelmente inseguro porque todas as suas forças são as minhas fraquezas. Você é capaz de fazer bem algumas coisas que eu tenho bastante dificuldade para fazer." A plateia riu. Ele olhou para mim e respondeu: "A insegurança é recíproca." Ele continuou, identificando alguns de meus pontos fortes em áreas nas quais ele queria melhorar.

Em um instante compreendi o motivo pelo qual eu me sentia tão competitivo em relação a ele. O modo como eu o via não tinha nada a ver com ele. Tinha a ver comigo. Quando seu nome era mencionado, ele me fazia lembrar áreas de atuação nas quais eu tinha dificuldade. Em vez de investir minha energia em me aprimorar – superando minhas fraquezas ou aumentando minhas forças –, era mais fácil me concentrar em superá-lo. É assim que a competição funciona, certo? É um impulso para vencer. O problema é que todas as métricas para aferir quem estava à frente e quem estava atrás eram arbitrárias, e fui eu quem estabeleceu os critérios de comparação. Além disso, não havia linha de chegada, então eu estava tentando competir numa corrida em que nunca haveria um vencedor. A verdade é que, apesar de fazermos coisas semelhantes, ele não é meu concorrente, é meu rival. Meu Rival Digno, comparável a mim em merecimento.

Para qualquer pessoa que tenha passado algum tempo assistindo ou praticando esportes, é familiar a noção de uma competição finita, na qual um jogador vence o outro ou conquista um título ou um prêmio. De fato, para a maioria de nós, isso está tão entranhado em nossa maneira de pensar que automaticamente adotamos uma atitude de "nós" contra "eles" sempre que há outros jogadores em campo, independentemente da natureza do jogo. No entanto, se somos jogadores num jogo infinito, temos que parar de pensar nos outros jogadores como competidores a serem derrotados e começar a encará-los como Rivais Dignos que podem nos ajudar a nos tornarmos jogadores melhores.

Um Rival Digno é outro jogador no jogo com o qual vale a pena nos compararmos. Rivais Dignos podem ser jogadores em nossa atividade ou fora dela. Podem ser inimigos declarados ou, às vezes, colaboradores ou colegas de trabalho. Também não importa se eles estão jogando com mentalidade finita ou infinita, contanto que nós joguemos com mentalidade infinita. Independentemente de quem sejam, ou de onde estejam, a questão principal é que fazem alguma coisa (ou muitas coisas) tão bem ou melhor do que nós. São capazes de fazer um produto melhor, inspirar mais lealdade, ser um líder melhor ou agir com mais sentido de propósito do que nós. Não temos que admirar tudo que diz respeito a eles ou concordar com eles, nem mesmo gostar deles. Simplesmente reconhecemos que têm forças, ou aptidões, com as quais podemos aprender uma coisinha ou outra.

Devemos escolher nossos Rivais Dignos e ser sábios ao fazer essa seleção. Não faz sentido pinçarmos outros jogadores aos quais superamos constantemente pelo simples prazer de nos sentirmos melhores. Isso contribui pouco ou nada para nosso crescimento. Eles não têm que ser os melhores jogadores ou um de seus encarregados. Nós os escolhemos para serem nossos Rivais Dignos porque alguma coisa neles revela nossas fraquezas e nos impulsiona para um constante aprimoramento... o que é essencial se queremos ser fortes o bastante para permanecer no jogo.

De meados da década de 1970 até a de 1980, Chris Evert Lloyd e Martina Navratilova dominavam o tênis feminino. Embora fossem adversárias quando se enfrentavam nas quadras, cada uma determinada a vencer, foi o respeito mútuo que ajudou as duas a se tornarem as melhores jogadoras de tênis de sua época. "Aprecio o que ela fez, como rival, para que eu aprimorasse meu jogo", disse Lloyd uma vez, falando de Navratilova com carinho. "E creio que ela aprecia o que eu fiz por ela." Foi por causa de Navratilova, por exemplo, que Lloyd teve que mudar seu estilo de jogo. Já não poderia mais usar a tática de jogar no fundo da quadra. Teve que aprender a ser mais agressiva. É isso que um Rival Digno faz por nós. Ele nos impulsiona de uma maneira que poucos são capazes de fazer. Nem mesmo nosso treinador. E, no caso de Evert e Navratilova, isso elevou o nível de seus jogos e do tênis em geral.[1]

O impacto dessa sutil mudança de mentalidade pode ser profundo no modo como tomamos decisões e priorizamos recursos. Uma competição tradicional nos obriga a assumir uma atitude que busca a vitória. Um Rival Digno nos inspira a assumir uma atitude de aprimoramento. No primeiro caso, a atenção é focada no resultado; no segundo, no processo. Essa simples mudança de perspectiva altera imediatamente o modo como vemos nossos negócios. É o foco no processo e no aprimoramento constante que ajuda a revelar novas aptidões e a aumentar a resiliência.[2] Um foco excessivo em vencer a competição não só acaba se exaurindo com o tempo como pode atrapalhar a inovação.

Outro motivo para ajustar nossa perspectiva e passar a considerar bons jogadores em nosso campo de atuação como Rivais Dignos é que isso nos ajuda a nos mantermos honestos. Imagine um corredor que está tão obcecado em vencer a corrida que esquece as regras, a ética ou a razão de ter começado a correr. Ele é capaz de dedicar tempo e energia a prejudicar quem esteja correndo mais rápido que ele e recorrer a medidas ardilosas como fazer seu concorrente tropeçar. Ou talvez se valha de drogas ilegais para aumentar o desempenho. Ambas as táticas certamente aumentarão suas chances de vencer a corrida, mas o deixarão mal equipado para o futuro. Além disso, elas se esgotarão, e ele continuará a ser um corredor lento. Quando consideramos os outros jogadores como Rivais Dignos, eliminamos a pressão de empreender um esforço que só admite a vitória a todo custo e, consequentemente, sentimos menos necessidade de agir de forma antiética ou ilegal. Manter nossos valores se torna mais importante do que o resultado, o que efetivamente nos motiva a sermos mais honestos (organizações ou políticos que optam por fazer a coisa certa, e não aquilo que os ajuda a conseguir resultados, são bons exemplos).

Quanto a meu Rival Digno, quando eu pensava em Adam Grant como um concorrente, isso em nada me ajudava. Pelo contrário, acabava alimentando minha mentalidade finita. Eu estava mais preocupado com uma comparação arbitrária de classificações do que com levar minha Causa adiante. Gastava tempo e energia demais me preocupando com o que ele estava fazendo em vez de focar essa energia em como eu poderia ser melhor naquilo que faço.

Desde o dia em que aprendi a mudar minha mentalidade, não comparo mais a posição de meus livros na classificação dos mais vendidos com a dos livros de Adam (nem com os de ninguém, na verdade). Minha mentalidade mudou, da atitude de canalizar meus sentimentos de insegurança em relação a ele para a busca de uma parceria que permitisse a nós dois levar adiante nossa causa em comum. Nós nos tornamos bons amigos (ele gentilmente leu as provas deste livro e me ajudou a melhorá-lo), e fico genuinamente feliz quando ouço seu nome ou vejo que está se saindo bem. Quero que suas ideias se disseminem. Na verdade, quem ler este livro deveria ler também *Dar e receber* e *Originais*; os dois são leituras essenciais dentro e fora do mundo dos negócios. (Convém ressaltar um fato divertido: num jogo infinito, nós dois podemos ser bem-sucedidos. Afinal, as pessoas podem efetivamente comprar mais de um livro.) Uma mentalidade infinita contempla abundância, enquanto uma mentalidade finita opera no terreno da escassez. No Jogo Infinito, aceitamos que "ser o melhor" é uma incumbência para tolos, e que muitos jogadores podem se sair bem ao mesmo tempo.

Rivais Dignos podem nos ajudar a sermos melhores naquilo que fazemos

Quando Alan Mulally deixou a indústria aeronáutica Boeing Commercial para se tornar o CEO da falida Ford Motor Company, em 2006, ele estava começando uma jornada que resultaria numa das maiores reviravoltas da história automotiva. Após a coletiva de imprensa que anunciou seu novo cargo na Ford, Mulally pôs em campo algumas questões. Um repórter perguntou que carro ele dirigia. "Um Lexus", respondeu ele. "É o melhor carro do mundo." O novo CEO da Ford estava admitindo que o Toyota que ele dirigia era melhor do que qualquer um fabricado pela Ford! Para alguns, foi um sacrilégio. Mas para Mulally, um homem que preferia a verdade, mesmo que incômoda, foi uma declaração honesta.

Nos quinze anos que antecederam a gestão de Mulally, a Ford tinha perdido 25% de participação no mercado.[3] Agora, estava a caminho da falência. Mulally precisava de uma estratégia revolucionária, mas primeiro quis aprender tudo que pudesse sobre a empresa. Queria compreender a possibilidade de uma Ford saudável que não estava expressa nas demonstrações do resultado. Uma das coisas que aprendeu foi que os consumidores estavam desiludidos com a marca. Os carros da Ford (pelo menos nos Estados Unidos) tinham a reputação de serem desinteressantes, não confiáveis e sedentos por combustível. Talvez *isso* explicasse em parte por que as pessoas não queriam comprar carros da Ford como antes.[4]

Historicamente, as empresas automotivas de Detroit, inclusive a Ford, eram obcecadas por sua participação no mercado, a primordial métrica de comparação.[5] No entanto, Mulally sabia que algumas das empresas automotivas mais lucrativas no mundo estavam entre as menores. Compreendeu rapidamente que não era do interesse da Ford no longo prazo apenas aumentar a participação no mercado – o que poderia ser alcançado com promoções de venda e cortes de custos (que foi exatamente o plano que a Ford apresentou a Mulally quando ele chegou). Essa estratégia só iria funcionar por alguns anos. "Não vamos correr atrás de participação no mercado", disse ele. "Não vamos colocar veículos onde não haja demanda para eles e depois dar descontos e piorar ainda mais as coisas."[6] Para permanecer no jogo, a Ford teria que mudar o modo como jogava o jogo. E isso significava reaprender a fazer carros que as pessoas quisessem dirigir.

Uma das primeiras coisas que Mulally fez quando se juntou à empresa foi começar a voltar de carro para casa dirigindo um modelo diferente da Ford a cada noite. Após testar todos os carros fabricados pela empresa, ele pediu para dirigir um Camry, da Toyota. O único problema foi que a Ford não tinha nenhum para ele dirigir. Era prática comum na Ford comprar os carros de outros fabricantes para seus engenheiros os desmontarem e verem como eram fabricados, mas não havia nenhum disponível para ser dirigido. Pense nisso por um instante. Os executivos seniores de uma grande empresa automotiva com dificuldade de vender mais carros não tinham ideia de como era dirigir os carros das outras empresas. Se potenciais compradores fazem test-drives para testar suas opções, os executivos da Ford não deveriam saber o que estavam testando? Mulally fez a companhia comprar uma frota de carros fabricados por outras empresas e instruiu seus gerentes seniores a dirigi-los.

Quando disse que o Lexus era o melhor carro do mundo, Mulally não estava tentando fazer com que o pessoal da Ford se sentisse mal. Estava oferecendo a eles um Rival Digno. Estava convencido de que para salvar a Ford eles teriam que ser francos quanto à situação dos próprios produtos e processos, e precisariam estudar com respeito como trabalhavam os outros jogadores na indústria. A Toyota era uma empresa que, como descreveu Mulally, "[fabrica] produtos que as pessoas querem [...] com menos recursos e em menos tempo do que qualquer outra no mundo". Era uma marca de referência em relação à qual a Ford deveria buscar a vontade de aprimorar seus próprios carros e a maneira de produzi-los. E, se conseguissem fazer isso, os lucros viriam como consequência. Para Mulally, o motivo para estudar os outros fabricantes de automóveis não era simplesmente copiá-los ou superá-los, mas aprender com eles. "Nunca tentei vencer a GM ou a Chrysler", diz Mulally. "Estivemos sempre focados na Causa Justa e usamos as comparações com nossos competidores como insights sobre como poderíamos melhorar continuamente nossa operação." Melhorar continuamente seus processos os ajudaria a fazer um produto melhor, o que os ajudaria a serem mais eficazes ao levar adiante a Causa Justa original de Henry Ford: prover transporte seguro e eficiente para todos, abrir as rodovias para toda a humanidade. A Causa de Henry Ford também serviu de filtro para outras decisões. Mulally vendeu marcas como a Jaguar, a Land Rover e a Volvo, por exemplo. A Ford as tinha comprado originalmente para poder competir em várias categorias automotivas ao mesmo tempo – algo que Mulally acreditava ter desviado a Ford do motivo pelo qual a empresa tinha sido fundada.

Então veio a crise econômica de 2008, que foi particularmente devastadora para a indústria automotiva americana. Sem financiamento do governo, a GM e a Chrysler iriam à falência. Graças a um empréstimo de cerca de 24 bilhões de dólares que Mulally tinha tomado em 2006 para ajudar a Ford a se reinventar, combinado com as constantes melhorias que a empresa estava fazendo em suas operações e seus produtos, a Ford foi capaz de sobreviver à recessão sem assistência do governo. Logo, quando Mulally foi depor perante o Congresso antes de o financiamento ser concedido, ele poderia insistir que o governo não desse dinheiro à GM ou à Chrysler. Um CEO que visse os outros jogadores como seus concorrentes teria adorado vê-los ir à falência, deixando a Ford como a única grande indústria automotiva dos Estados Unidos. Isso com certeza seria uma vitória, não?

Como Mulally considerava os outros fabricantes Rivais Dignos, ele na verdade endossou o financiamento. Sabia que a permanência deles no mercado só ajudaria a fazer da Ford uma empresa melhor. Sabia também que os Rivais da Ford eram parte de um ecossistema maior. Se fossem à falência, muitos de seus fornecedores também iriam, o que poderia destruir a Ford. Assim, Mulally criou planos para ajudar muitos dos fornecedores a enfrentar a crise econômica. Infelizmente, os líderes das falidas GM e Chrysler, ainda operando com mentalidade finita, rejeitaram a proposta da Ford de trabalharem juntas para o bem da indústria. No entanto, Honda, Toyota e Nissan trabalharam com a Ford para ajudar a manter na ativa os principais fornecedores, aqueles nos quais podiam confiar. Os jogadores com mentalidade infinita compreenderam que a melhor opção para sua própria sobrevivência, e na verdade o objetivo principal de um líder infinito, é continuar no jogo.

Rivais Dignos podem nos ajudar a esclarecer *por que* fazemos algo

No início dos anos 1980, a revolução da computação estava a todo vapor. E para a Apple, uma das empresas que lideravam essa revolução, o verdadeiro valor de seu Rival pouco tinha a ver com o aprimoramento dos seus produtos. Era maior do que isso. Seu Rival Digno a ajudava a deixar mais clara sua Causa e a mobilizar seu pessoal. A simples existência do Rival lembrava a todos, dentro e fora da empresa, o que eles defendiam – o motivo pelo qual estavam no negócio, em primeiro lugar. "Eles eram a Marinha. E nós éramos os piratas."

Durante os anos 1970, a IBM detinha a maior fatia do mercado de *mainframes* – imensas máquinas que ocupavam salas inteiras e que proviam as empresas de um imenso poder de computação. Mas a IBM resistiu à ideia de desenvolver "microcomputadores" próprios, como se costumava chamá-los, acreditando que eles não tinham poder computacional suficiente para as necessidades dos negócios. Os computadores pessoais, acreditava a IBM, não tinham lugar num escritório.

Tudo mudou em 1981. Ao ver como os pioneiros da computação pessoal (Commodore, Tandy e Apple) estavam se saindo na colocação de seus produtos na arena dos negócios, a IBM mudou de foco. Com recursos abundantes, a IBM pôde investir quantias exorbitantes para desenvolver seu computador pessoal. Pagou salários altíssimos para roubar de outras empresas, inclusive da Apple, alguns dos melhores e mais brilhantes engenheiros. E em apenas doze meses a IBM apresentou ao mundo o seu "PC".

A Apple detinha a maior participação no mercado de computadores pessoais antes da entrada da IBM. O que significa que tinha muito a perder quando a IBM entrou nesse nicho. Enquanto um jogador de mente finita provavelmente teria entrado em pânico, um jogador de mentalidade infinita, como a Apple, fez exatamente o oposto. Em agosto de 1981, no mesmo mês em que o primeiro PC da IBM foi posto à venda, a Apple publicou um anúncio de página inteira no *The Wall Street Journal* com a chamada: "Bem-vinda, IBM. Sério." O restante do anúncio nos diz exatamente o que precisamos saber sobre como a Apple encarava esse novo jogador: não como um concorrente, mas como um Rival Digno.[7]

"Bem-vinda ao mais empolgante e importante nicho do mercado desde que a revolução da computação começou, 35 anos atrás", dizia o anúncio da Apple. "Colocar um poder de computação real nas mãos do indivíduo é aprimorar o modo como as pessoas trabalham, pensam, se comunicam e passam suas horas de lazer. Durante a próxima década, o crescimento do computador pessoal vai continuar em progressão geométrica. Estamos ansiosos por uma competição responsável no imenso esforço de disseminar essa tecnologia americana pelo mundo. E apreciamos a magnitude de seu comprometimento. Porque o que estamos fazendo é aumentar o capital social ao incrementar a produtividade individual." A Apple assinou a carta com as palavras "Bem-vinda à missão". A Apple estava tentando levar adiante a Causa Justa, e a IBM iria ajudá-la.[8]

A IBM aceitou o desafio. E, devido a seu domínio no mundo dos negócios, ela foi capaz de alavancar esse relacionamento para vender seus novos computadores pessoais para grandes companhias. Isso fez da Big Blue, como era chamada a IBM afetuosamente, a escolha segura e óbvia para qualquer gerente de compras responsável por comprar PCs para sua empresa. "Ninguém jamais foi demitido por comprar um IBM", era comum dizerem por aí. Para fazer crescer ainda mais seu negócio, a IBM permitiu que outros fabricantes de computadores "clonassem" ou usassem seu sistema operacional em seus produtos. A Apple se recusou a fazer isso. Se alguém quisesse o sistema operacional da Apple, teria que comprar um Apple. Sem poder clonar o OS da Apple, e por ser muito dispendioso desenvolver outro sistema operacional para o grande mercado, a maioria dos fabricantes de computadores adquiria a licença do sistema operacional da IBM para produzir produtos compatíveis com ele. Com isso, o PC se tornou o padrão da indústria no mundo dos negócios e mais além.

A IBM ajudou a Apple a tornar o computador pessoal uma necessidade em cada mesa de escritório e em cada lar. Mas a IBM fez muito mais do que isso para a Apple. A Apple usou a IBM como um chamariz para ajudar a contar de um modo mais claro e convincente a história daquilo que elas defendiam. Causas existem em nossas mentes, mas empresas e produtos são reais. E, para uma pessoa ou uma empresa com uma noção clara de sua Causa, o próprio indivíduo ou a própria organização pode se tornar um símbolo tangível de sua visão intangível. Para nós é mais fácil seguir uma empresa ou um líder real do que uma ideia abstrata. E é mais fácil compor uma narrativa convincente de nossa Causa Justa quando podemos apontar para uma representação tangível das alternativas.

"Eles eram a Marinha, previsível, vendida a corporações", é como John Couch, um dos primeiros funcionários da Apple, descreveu a IBM. "Queríamos ser os piratas que dão aos indivíduos o poder de ser criativos." Como republicanos e democratas, como a União Soviética e os Estados Unidos, A IBM e a Apple eram símbolos de ideologias alternativas em busca de seguidores. A IBM representava negócios, estabilidade e consistência. A Apple defendia a individualidade, a criatividade e o ato de pensar diferente. Ao apresentar esses contrastes ao público, a Apple passou de líder na revolução da computação pessoal a líder de revolucionários com mentalidade parecida.

Com base em métricas-padrão do mercado para avaliar a qualidade de um computador – preço, velocidade e memória, por exemplo –, PCs e Apples são basicamente equivalentes. Na verdade, os clones IBM eram frequentemente um pouco mais baratos. Enquanto concorrentes quase sempre comparam características e benefícios de seus produtos, a Apple optou por enfrentar a IBM num nível mais alto. Concorrentes competem por clientes. Rivais buscam seguidores. Para os seguidores da Apple, a IBM era o passado e a Apple era o futuro. E, para os devotos da IBM, a Apple era um brinquedo para tipos criativos e a IBM era para pessoas sérias que fazem um trabalho sério. Isso era maior do que seus produtos e suas características. Era um verdadeiro jogo de religiões.

O modo como a Apple reagiu à entrada da IBM no mercado de PCs foi o oposto do que normalmente acontece. Quando uma nova companhia se junta a uma indústria com força total, isso frequentemente assusta os atuais jogadores. Eles perdem de vista sua visão e começam a competir com o novo jogador com base em comparações de produto ou outros critérios arbitrários. O que significa que, se não estavam com mentalidade finita antes, a opção de encarar o novo participante como um concorrente, e não como um Rival Digno, vai arrastá-los em pouco tempo para o atoleiro da mentalidade finita. Foi exatamente o que aconteceu com a fabricante canadense do celular BlackBerry.

Mais de 25 anos depois de a IBM invadir o mercado da Apple, a Apple fez a mesma coisa com a BlackBerry. Com a diferença de que, se a Apple optou por considerar a IBM um Rival Digno que poderia ajudá-la a deixar mais claro para que os produtos delas serviam, a BlackBerry optou por considerar a Apple uma concorrente a ser derrotada. E pagou caro por essa decisão de mentalidade finita.

Antes do iPhone, o BlackBerry era o segundo maior sistema operacional de telefones no mundo. Seus produtos de alto desempenho, de longa duração e muito confiáveis fizeram dele uma opção obrigatória no governo e em muitas empresas. Eram os líderes do mercado naquele segmento. Mesmo depois que a Apple introduziu o iPhone, em 2007, o *momentum* da BlackBerry continuou, para levá-la ao recorde de 20% de participação na venda de celulares em 2009. No entanto, à medida que os iPhones iam ficando cada vez mais populares, a BlackBerry entrou em pânico. Seus líderes poderiam ter optado por mostrar a diferença entre sua filosofia e a da Apple, como a Apple tinha feito com a IBM décadas antes. Poderiam ter usado a Apple como um termo de comparação para destacar sua própria visão de mundo, que orbitava em torno da necessidade que os negócios e o governo tinham de segurança e confiabilidade. Mas não o fizeram. Em vez disso, a BlackBerry reagiu ao aumento da popularidade do iPhone tentando copiá-lo. Primeiro, começou oferecendo aplicativos e jogos para os aparelhos já existentes, o que tornou o desempenho de seus produtos drasticamente mais lento. Depois, abandonou seus icônicos teclados QWERTY completos e introduziram opções com tela touchscreen. Nunca funcionaram tão bem quanto os iPhones e eram muito menos duráveis do que seus outros modelos.

O triste é que isso é comum. Lembre-se: rupturas normalmente são sintomas de mentalidade finita. Líderes que jogam com mentalidade finita com frequência perdem a oportunidade de usar um evento disruptivo em seu setor para deixar claro qual é sua Causa. Em vez disso, eles dobram a aposta no jogo finito e simplesmente começam a copiar o que outros jogadores estão fazendo, com a esperança de que funcione para eles também. E, no caso da BlackBerry, não funcionou. Eles abandonaram a oportunidade de serem líderes de uma Causa e optaram por ser seguidores de um produto. Obcecados pela tentativa de vencer a Apple, na verdade perderam de vista a própria visão. Esqueceram o motivo pelo qual tinham entrado no negócio. Em pouco tempo a BlackBerry entrou num íngreme e constante declínio. Em 2013, a empresa tinha menos de 1% de participação no mercado, uma queda de quase 99% em apenas quatro anos. Hoje a BlackBerry é um jogador insignificante no mercado que antes dominava e não é Rival Digno de ninguém.

A IBM serviu como Rival Digno da Apple durante muitos anos. Posteriormente, quando computadores se tornaram onipresentes e o mercado mudou, a IBM abandonou o PC. A perda de sua Rival não significa, no entanto, que a Apple venceu. Ela encontrou rapidamente um novo símbolo de mentalidade corporativa segura e estável na Microsoft. ("Eu sou um Mac, e eu sou um PC", para quem se lembra disso.) Como aconteceu com a IBM, quando a própria Causa da Microsoft ficou confusa, ela não representou mais uma diferença ideológica clara em relação à Apple, como fora uma vez. Então qual é o Rival Digno da Apple agora?

Talvez os novos Rivais Dignos da Apple sejam o Google e o Facebook. O Google e o Facebook representam agora o Grande Irmão da internet: sempre nos observando, rastreando cada movimento para poder vender nossos dados a empresas que querem direcionar seus anúncios a nós (o que ajuda o Google e o Facebook a ganhar mais dinheiro). Esse se tornou o "padrão da indústria". A Apple ainda parece estar lutando pelos direitos dos indivíduos e desafiando o status quo. A companhia tornou-se uma verdadeira defensora da privacidade na internet. Diferentemente de seus Rivais, a Apple decidiu não vender, como meio de obter receita, os dados que coleta. Também se posicionou contra o governo e negou-lhe acesso ao texto de mensagens privadas. Mesmo tendo mudado o mundo à sua volta, durante quarenta anos a Apple achou Rivais Dignos que a ajudassem a se manter focada na mesma causa pela qual a empresa havia sido fundada.

Cegueira da Causa

Tenho uma amiga que é tão focada em sua Causa que é como se tivesse esquecido que existem outros pontos de vista no mundo além dos seus. Minha amiga, infelizmente, rotulou quem quer que tenha uma opinião diferente da dela como uma pessoa errada, idiota ou moralmente corrupta. Minha amiga sofre de Cegueira da Causa.

Cegueira da Causa é quando nos tornamos tão envolvidos em nossa Causa, ou tão envolvidos na convicção de que as Causas dos outros jogadores são erradas, que não conseguimos distinguir as forças deles ou nossas fraquezas. Acreditamos erroneamente que elas não são dignas de ser comparadas com a nossa simplesmente porque discordamos delas, não gostamos delas ou as achamos moralmente repulsivas. Somos incapazes de ver onde esses jogadores são de fato eficazes ou melhores do que nós naquilo que fazemos, e de ver que podemos na verdade aprender com eles.

A Cegueira da Causa embota a humildade e exagera a arrogância, o que por sua vez tolhe a inovação e reduz a flexibilidade de que precisamos para jogar a longo prazo. Menos capazes de nos engajarmos em qualquer tipo de prática honesta ou produtiva de aprimoramento constante, acabamos por repetir erros ou continuamos a fazer muitas coisas de forma precária. Além disso, a arrogância aumenta a probabilidade de que quaisquer fraquezas que nossa organização possa ter fiquem expostas para serem exploradas por outros jogadores. Tudo isso contribui para o esgotamento da vontade e dos recursos de que necessitamos para permanecer no jogo. Toda vez que tento mostrar para minha amiga que esses jogadores que ela considera desprezíveis são na verdade bons em certas coisas e que ela deveria respeitá-los por isso, ela ri e me chama de vira-casaca porque eu ouso conceder um cumprimento a seus concorrentes.

Por mais difícil que seja reconhecer outros jogadores como Rivais Dignos, principalmente se os consideramos pessoas desagradáveis, fazer isso é a melhor maneira de nos tornarmos jogadores melhores. "Quanto mais eu questiono esses caras, mais compreendo que os criminosos bem-sucedidos são bons analistas de perfis psicológicos", explicou John Douglas, ex-chefe da unidade de apoio investigativo do FBI e pioneiro em análise do perfil psicológico de criminosos.[9] Douglas compreendeu que, por mais que todos nós julguemos os assassinos em série seres irracionais, desprovidos de consciência, por exemplo, a melhor maneira de prendê-los era reconhecer que eles eram muitos bons exatamente naquilo que o FBI faz... o que significa que o FBI teria que fazer aquilo melhor. O fato de ter Rivais Dignos – criminosos especialistas em escapar do FBI – força o FBI a aprimorar constantemente suas técnicas.

Ter rivais dignos de comparação não significa que a causa deles seja moral, ética ou que sirva ao bem maior. Significa apenas que eles são bons em certas coisas e nos mostram onde podemos melhorar. O modo como eles jogam o jogo pode nos desafiar, nos inspirar ou nos obrigar a evoluir. Quem vamos escolher para ser nossos Rivais Dignos depende totalmente de nós. E é pensando no Jogo Infinito que devemos manter nossas opções em aberto.

Não confunda perder seu Rival Digno com vencer o jogo

Foi pouco depois da queda do Muro de Berlim que os Estados Unidos cometeram o que talvez tenha sido um de seus maiores erros na política internacional do século XX. Eles declararam que tinham "vencido" a Guerra Fria. Só que não era verdade. A esta altura, você já deve conhecer o mantra: no Jogo Infinito não existem vencedores. Isso é tão verdadeiro nos negócios quanto na política global. Os Estados Unidos não venceram a Guerra Fria. Com a vontade e os recursos exauridos, a União Soviética simplesmente saiu do jogo.

A Guerra Fria se encaixa em todos os parâmetros de um jogo infinito. Diferentemente de uma guerra finita, onde há convenções para determinar as regras do jogo, os lados são facilmente identificáveis e há uma clara definição da situação em que a guerra vai terminar (a tomada de um território ou algum outro objetivo finito facilmente mensurável, por exemplo), a Guerra Fria foi jogada por diversos jogadores, não havia regras e muito menos um objetivo claramente definido que pudesse sinalizar a todos os lados que a guerra tinha acabado. Por mais que os Estados Unidos e o Ocidente falassem sobre ter "derrotado" a União Soviética e "vencido" a Guerra Fria sem a necessidade de uma guerra nuclear – o que nenhum lado desejava –, poucos poderiam imaginar ou predizer exatamente que aspecto teria essa vitória. Não houve um tratado estabelecendo o fim da Guerra Fria. Em vez disso, os dois lados continuaram jogando, sempre tentando melhorar seu jogo, sem ter ideia de para onde as coisas estavam se encaminhando. E a queda do Muro de Berlim, em 1989, tampouco foi algo previsto por qualquer dos lados.

Como nos negócios, os tempos mudam, e os jogadores também. E, como nos negócios, se uma grande empresa vai à falência, isso não quer dizer que o jogo acabou ou que outra empresa venceu. Os jogadores que continuam de pé sabem que outras empresas vão tomar o lugar das que saíram do jogo e que novas vão entrar no setor. Quando nosso mais importante Rival Digno, o que nos impulsiona mais do que todos os outros, sai do jogo, isso não significa que haja outros no banco de reservas, à espera daquele momento para entrar imediatamente em campo.

Pode levar anos até que um Rival novo ou diferente apareça. O jogador avançado no Jogo Infinito compreende isso e trabalha para continuar humilde quando perde um Rival Digno e continuar cauteloso, para não deixar que a arrogância ou a mentalidade finita assumam o controle. Ele joga sabendo que é só uma questão de tempo até que novos jogadores surjam. A paciência é uma virtude no Jogo Infinito. Não foi assim que os Estados Unidos agiram.

Depois que a União Soviética saiu do jogo, os Estados Unidos foram acometidos por uma espécie de Cegueira da Causa e acreditaram não ter rivais. Sentindo-se vitoriosos, seus governantes agiram de acordo e, mesmo que bem-intencionados, impuseram sua vontade ao mundo sem serem contestados durante onze anos. Ungiram a si mesmos como a força policial do mundo, enviando tropas para a antiga Iugoslávia, por exemplo, e impondo zonas de exclusão aérea a nações soberanas. Coisas que teriam sido muito mais difíceis ou até impossíveis de fazer se a União Soviética ainda estivesse presente. Se não identificam Rivais Dignos, jogadores fortes começam a acreditar erroneamente que podem controlar o rumo do jogo ou os outros jogadores. Mas isso é impossível. O Jogo Infinito é como o mercado de ações: empresas entram e saem da lista, mas nenhuma é capaz de controlar o mercado.

Jogadores muito bem-sucedidos e com muito dinheiro e muitas forças podem deixar de conhecer suas fraquezas por algum tempo. Mas não para sempre. Empresas que crescem rápido com fortes produtos, marketing e resultados, por exemplo, geralmente deixam de dedicar tempo e atenção ao treinamento de lideranças ou a alimentar ativamente sua cultura, o que pode vir a assombrá-las mais tarde. O Groupon é um bom exemplo. Louvado pela mídia dos negócios pela inovação e pelo ritmo de crescimento de seu produto, seus líderes negligenciaram seu pessoal. O que, quando o crescimento ficou mais lento e outras empresas emplacaram seus produtos, tornou-se seu calcanhar de Aquiles. A Uber é outro exemplo. Pode ter sido pioneira ao lançar seu aplicativo de caronas, mas sofreu mais por causa de uma cultura negligenciada do que devido a um produto rejeitado. Quando Dara Khosrowshahi substituiu Travis Kalanick como CEO, em 2017, o propósito expresso era corrigir a cultura da empresa.

Os Estados Unidos ficariam mais bem servidos se buscassem novos Rivais Dignos que pudessem ajudar a nação a se preparar para o próximo capítulo da Guerra Fria. Os líderes poderiam ter pensado em mais do que forças militares ou poderio econômico para evoluírem em algumas fraquezas que têm sido negligenciadas durante vários anos. Mas não foi isso o que aconteceu. Confiando na maneira de jogar que desenvolveram e aperfeiçoaram durante os anos da Guerra Fria 1.0, os Estados Unidos foram incapazes de enxergar o crescimento de novos Rivais que visam pôr em xeque suas ações e suas ambições.

Guerra Fria 2.0

Há três tensões que governam a Guerra Fria: a nuclear, a ideológica e a econômica. (Não é por coincidência que essas coisas se superpõem a vida, liberdade e busca da felicidade, como enunciado na Declaração de Independência. Para os Estados Unidos e para todas as nações, são valores existenciais. Coisas para as quais vale a pena arcar com qualquer ônus ou pagar qualquer preço, na luta para defendê-las.) Durante a Guerra Fria 1.0, todas essas três tensões foram convenientemente concentradas em um único Rival: a União Soviética. As duas nações possuíam, cada uma, mais armas nucleares com uma ordem de magnitude maior do que as de todas as outras nações com armas nucleares combinadas. Ambas as nações eram exportadoras de ideologias para clientes e aliados. Os Estados Unidos difundiam o evangelho da democracia e do capitalismo, enquanto os soviéticos eram prosélitos do comunismo. E suas economias eram as duas maiores do mundo desde o fim da Segunda Guerra Mundial até a queda do Muro de Berlim – tempo total de duração da Guerra Fria 1.0.

Ter um Rival Digno primordial tem suas vantagens. Provê um único ponto focal para desenvolver estratégias, alocar recursos e para o qual chamar a atenção de facções internacionais. Muito foi escrito, após os eventos do 11 de Setembro, sobre a falta de cooperação entre os serviços de inteligência dos Estados Unidos, por exemplo. Não era nenhuma novidade. Essas agências sempre foram territoriais e competitivas. A diferença é que, na época em que os Estados Unidos sabiam quem era seu Rival Digno, quando a situação ficava ruim, todas elas punham de lado suas diferenças e se uniam ante a ameaça comum. Sem quaisquer novos Rivais Dignos, a luta interna entre tantas instituições americanas continuou inalterada. Até mesmo republicanos e democratas concordavam que a União Soviética representava uma ameaça muito maior do que o outro partido, e eles sempre eram capazes de se unir numa causa claramente comum. Esse não é mais o caso. Sem um Rival Digno externo à vista, cada partido agora considera o outro uma ameaça existencial à nação. Enquanto isso, as ameaças reais aos Estados Unidos ficam cada vez maiores.

Portanto, enquanto os Estados Unidos focavam suas energias contra eles mesmos, deixavam de ver que a Guerra Fria ainda estava bem viva. Exceto que, ao contrário do que houve durante a Guerra Fria 1.0, na Guerra Fria 2.0 não há um só Rival Digno, mas vários. A ameaça nuclear apresentada pela União Soviética foi substituída pela Coreia do Norte, entre outros. A rivalidade econômica foi substituída pela rivalidade com a China (que está em processo de suplantar a economia americana). A rivalidade ideológica foi substituída por extremistas agindo sob pretexto religioso. Além disso, a Rússia continua a testar e a checar a firmeza americana sempre que possível, também no contexto das três tensões.

Como nos negócios, o surgimento de novos jogadores muda necessariamente a maneira como o jogo deve ser jogado. A Blockbuster

– única superpotência no negócio de aluguel de filmes – não soube avaliar como uma empresa pequena como a Netflix e uma tecnologia emergente como a internet exigiam que eles remodelassem todo o seu modelo de negócio. Grandes editoras se agarraram a modelos antigos quando a Amazon surgiu, em vez de se perguntarem como poderiam se atualizar ante uma nova era digital. E, em vez de se perguntarem "O que precisamos fazer para realizar a mudança que os tempos pedem?", cooperativas de táxi preferiram exigir das autoridades a autuação das startups de caronas para proteger seu negócio; não aprenderam a se adaptar e prover um melhor serviço de táxi. A Sears ficou tão grande e tão rica vendendo a partir de catálogos impressos em papel durante tantas décadas que foi lenta demais para se adaptar ao crescimento de megalojas como a Walmart e do e-commerce. E, acreditando não ter um Rival, o paquiderme que era o Myspace nem percebeu a chegada do Facebook. O que nos trouxe até aqui não nos levará até lá, e saber quem são nossos Rivais Dignos é a melhor maneira de nos ajudarmos a melhorar e a fazer ajustes antes que seja tarde demais.

Sem um Rival Digno, corremos o risco de perder nossa humildade e agilidade. Deixar de ter um Rival Digno aumenta o risco de que um jogador infinito que já foi poderoso, com uma forte percepção de ter uma Causa, vá deslizando suavemente para o papel de mais um jogador finito buscando acumular ganhos. Mesmo uma organização que lutou primordialmente pelo bem de outros, pelo bem da Causa, jamais lutará primordialmente pelo bem de si mesma se não tiver um Rival Digno. E quando isso acontece, quando a arrogância se instala, a organização rapidamente descobre que sua fraqueza está exposta e estará engessada demais para o tipo de flexibilidade necessária para permanecer no jogo.

Capítulo 10

FLEXIBILIDADE EXISTENCIAL

Alguns acharam que ele estivesse louco. Começou a liquidar seus ativos e a vender propriedades. Tomou empréstimos com garantia de sua apólice de seguro de vida e até licenciou os direitos relativos ao próprio nome. Com a empresa indo tão bem, por que ele a deixaria agora para fazer algo totalmente diferente, algo tão arriscado? Mas, em 1952, foi exatamente o que Walt Disney fez. Não tinha ficado louco. O que ele fez foi adotar uma Flexibilidade Existencial.

Walt Disney estava acostumado a assumir riscos e a fazer coisas novas. Como artista jovem no campo emergente da animação, Disney inovava o tempo todo. Foi um dos primeiros a fazer curtas-metragens nos quais atores reais contracenavam com personagens de desenho animado. Em 1928, foi o primeiro a fazer um desenho animado com som sincronizado, o clássico da animação *O vapor Willie*. No entanto, insatisfeito com realizar apenas curtas de entretenimento destinados a fazer a plateia sorrir, Disney se propôs a fazer filmes animados que fossem um substituto crível da realidade, que pudessem suscitar toda a gama das emoções humanas. E, em 1937, ele lançou o primeiríssimo longa-metragem animado: *Branca de Neve e os sete anões*. O filme não se parecia com nada que o mundo tivesse visto antes. Essa evolução do trabalho de Disney não resultou de uma experimentação só pela experimentação. Tampouco foi movida pelo desejo de ficar rico ou famoso. A cada passo, Disney estava levando adiante sua Causa Justa, convidando seu público a deixar para trás o estresse e as dificuldades da vida e a entrar no mundo mais idílico de sua criação.

As sementes da Causa Justa de Disney foram plantadas quando ele ainda era menino. Aos 4 anos, seu pai, Elias, foi embora de Chicago com a família para morar em uma fazenda na zona rural de Marceline, Missouri. O jovem Walt brincava ao ar livre, onde frequentemente havia animais, vivia cercado por uma família numerosa e por uma comunidade solidária. Era, como depois contou seu irmão mais velho Roy, "simplesmente o paraíso para crianças da cidade".[1] Mas essa infância idílica não durou muito. A tentativa de Elias Disney de ser um fazendeiro acabou em fracasso e, cinco anos depois de ter chegado a Marceline, a família foi obrigada a se mudar novamente.

Estabelecendo-se em Kansas City, Elias comprou uma firma de entrega de jornais e o jovem Walt foi posto para trabalhar para ajudar na renda da família. Mas o negócio de Elias não deu muito certo. E à medida que as dificuldades financeiras se multiplicavam, assim também crescia o estresse de Elias... e piorava seu humor. "Chegou a um ponto", relembrou Walt Disney, "em que dizer a verdade a meu pai me rendia uma surra". Felizmente, antes, na fazenda, Disney tinha descoberto o desenho, um hobby que lhe propiciou uma escapatória perfeita daquilo que ele percebia como as durezas da vida real. A partir daí, e pelo resto de sua vida, Disney usaria sua arte e sua imaginação para oferecer aos outros a possibilidade de também escapar de suas circunstâncias atuais, de levá-los a um lugar no qual poderiam experimentar o tipo de alegria que ele lembrava ter vivido na infância, na pequena cidade de Marceline.

Ao infinito e além

A aptidão de Walt Disney para transportar as pessoas a outro mundo revelou-se bastante lucrativa. Além da aclamação da crítica e do entusiasmo popular, com *Branca de Neve* ele obteve uma renda bruta de 8 milhões de dólares só no primeiro ano (o equivalente a mais de 140 milhões de dólares hoje em dia). Com o dinheiro e o sucesso gerados pelo primeiro filme, Walt construiu um estúdio em Burbank, Califórnia, e uma cultura corporativa que foi, como descreveu o ex-funcionário Don Lusk, "simplesmente o paraíso". Para pagar a dívida acumulada na construção do estúdio e financiar seu crescimento, Roy Disney, CEO da Walt Disney Productions, sugeriu abrir o capital da empresa. Walt opôs-se a essa ideia por medo de que acionistas interferissem no negócio. Posteriormente, no entanto, Disney sucumbiu à pressão e a empresa abriu seu capital.

À medida que crescia, ela enfrentava muitos e grandes desafios. Para começar, a cultura da Walt Disney Productions ficou mais estratificada.[2] Bônus que antes eram oferecidos a qualquer um, por exemplo, agora só eram oferecidos a funcionários mais graduados. E, à medida que crescia a diferença nos salários, o mesmo acontecia com o dissenso interno. Pela primeira vez a Disney enfrentou embates hostis com sindicatos. O colapso do estúdio Utopia, da Disney, combinado com pressões para fazer filmes de ação ao vivo com maior controle de custos e com a restrição que sua criatividade sofria por causa da burocracia, fizeram Disney se sentir totalmente derrotado quanto ao futuro. A Walt Disney Productions tornou-se mais finita e menos visionária, e Disney convenceu-se de que o negócio não mais poderia servir como mecanismo para levar adiante sua Causa Justa. Apesar das frustrações, sua visão continuou a ser infinita como sempre fora, por isso Disney decidiu-se pela Flexibilização Existencial. Assim, ele deixou a empresa. Quinze anos após o lançamento original de *Branca de Neve*, Walt Disney foi embora para fazer algo novo.

Usando todo o dinheiro que tinha ganhado com a venda de propriedades e outros ativos, incluindo suas ações na Walt Disney Productions, além de um empréstimo com garantia de sua apólice de seguro de vida, em 1952 Disney formou uma nova empresa. Ele a chamou de WED, as iniciais de seu nome, e pôs-se a trabalhar num novo projeto, que acreditava ser capaz de levar adiante sua Causa mais do que qualquer coisa que o antecedera – um lugar real onde as pessoas pudessem escapar da realidade da vida cotidiana. Iria criar o lugar mais feliz na Terra. Iria construir a Disneylândia.

Diferentemente dos parques de diversões frequentemente perigosos e sujos que existiam na época, que tendiam a ser apenas coleções de brinquedos aleatórios, o lugar que Walt queria construir seria seguro e imaculado e teria uma história coerente a percorrer o parque. Não haveria sinais de labuta ou de preocupações, nada sórdido à espreita. Ali, as pessoas estariam totalmente imersas numa perfeita ilusão. "Creio que o que mais quero é que a Disneylândia seja, mais do que tudo, um lugar feliz – um lugar onde adultos e crianças possam experimentar juntos algumas das maravilhas da vida e da aventura, e se sentir melhor por causa disso", disse Disney. É um lugar onde "você deixa o HOJE... e entra no mundo do ONTEM e do AMANHÃ".

Enquanto plateias de cinema só podem *assistir* a filmes, na Disneylândia podem *estar* nos filmes. E diferentemente de um filme, que é finito, o parque era algo que podia estar em eterno desenvolvimento. De maneira compatível com a verdadeira mentalidade infinita, Disney explicou: "A Disneylândia nunca vai terminar. É algo que pode continuar a se desenvolver e a aumentar. Um filme é diferente. Quando é empacotado e enviado para processamento, nosso trabalho com ele terminou. Se houver coisas que poderiam ser melhoradas, já não poderemos fazer mais nada quanto a isso. Eu sempre quis trabalhar com algo vivo, algo que continua a crescer. Conseguimos isso na Disneylândia."

Como tantos empreendedores, Walt Disney arriscou tudo quando começou seu negócio. Dispor-se a construir a Disneylândia, no entanto, foi talvez o maior risco de todos, porque ele não tinha que fazer isso. Tinha muito mais a perder do que tivera na primeira vez. Esse é o dilema do líder visionário com mentalidade infinita. Tendo se dado conta de que sua companhia entrara num caminho no qual não poderia mais levar adiante sua Causa, quis arriscar tudo para recomeçar. Não saiu porque divisou uma oportunidade de ganhar mais dinheiro. Nem deixou um negócio que estava destinado ao fracasso. Ele encontrou um modo melhor de levar adiante sua Causa Justa e o agarrou.

A visão para a Flexibilidade

Flexibilidade Existencial é a capacidade de instaurar uma ruptura extrema num modelo de negócio ou num percurso estratégico para fazer uma Causa Justa avançar com mais eficácia. É uma avaliação do imprevisível realizada por um jogador de mentalidade infinita que lhe permite fazer esse tipo de mudança. Enquanto um jogador de mentalidade finita tem medo de coisas que são novas ou disruptivas, o jogador de mentalidade infinita se regozija com elas. Quando um líder com mentalidade infinita com uma percepção clara de sua Causa olha para o futuro e vê que o caminho em que está irá restringir significativamente sua aptidão para fazer avançar sua Causa Justa, ele flexibiliza. Ou, se esse líder descobre uma nova tecnologia que é mais capaz de fazer avançar sua Causa do que a que está usando atualmente, ele flexibiliza. Sem esse senso de visão infinita, mudanças estratégicas, mesmo as mais extremas, tendem a ser reativas ou oportunistas. A Flexibilidade Existencial está sempre na ofensiva. Não deve ser confundida com as manobras defensivas que muitas empresas utilizam para permanecerem vivas diante de novas tecnologias ou de mudanças de hábito do consumidor. Muitos jornais e revistas, por exemplo, erradicaram seu modelo de negócio quando se tornaram digitais, não porque tivessem encontrado um modo melhor de fazer avançar sua Causa, mas porque foram obrigados a fazer a mudança ante um mundo em mutação. Apesar de necessário para permanecer vivo, esse tipo de mudança raramente inspira as pessoas dentro da organização a reacender suas paixões. A Flexibilização Existencial faz isso.

Muitas startups são alimentadas mais pela paixão que o empreendedor tem por uma visão do que pelos recursos de que dispõe para fazê-los progredir. A Flexibilização Existencial recria essa paixão por algo novo num momento em que a empresa já está tendo sucesso. Quando Walt Disney recomeçou com a WED, trouxe um grupo de pessoas da empresa original que queriam entrar com ele na nova aventura, como se fosse a primeira vez. Queriam compartilhar o risco, queriam investir seu tempo, queriam fazer o que quer que fosse preciso para que essa nova ideia fosse bem-sucedida. Achavam que o entusiasmo de Disney era contagiante e estavam animadas para, mais uma vez, fazer coisas com que nunca tinham sonhado. A Flexibilização também renovou a paixão do próprio Disney. "Caramba, eu gosto disso!", disse ele sobre a nova empresa.

Uma Flexibilização não acontece no momento da fundação da empresa, mas quando ela já está totalmente formada e funcionando. Para todos os observadores de mentalidade finita, ela é existencial porque o líder está arriscando a aparente certeza que a companhia atual representa, um caminho lucrativo, pela incerteza de um novo caminho – que poderia levar ao declínio da empresa, ou até mesmo a sua extinção. Para o jogador de mentalidade finita, essa mudança não vale o risco. No entanto, para os jogadores de mentalidade infinita, estar no caminho atual é que constitui o risco maior. Eles acolhem e abraçam a incerteza. Deixar de flexibilizar, acreditam, vai restringir significativamente sua aptidão para fazer avançar a Causa. Temem que continuar no percurso atual pode levar até mesmo à ulterior extinção da organização.

Em resumo, a motivação de um jogador de mentalidade infinita para a Flexibilização é fazer avançar a Causa, mesmo se isso causar a ruptura do modelo de negócio existente. Para o jogador de mentalidade finita, o motivo de não flexibilizar é expressamente proteger o modelo de negócio atual, mesmo se isso destruir a Causa. E, se a companhia é o veículo que um líder utiliza para fazer avançar sua Causa, uma mudança drástica na estratégia para que a empresa continue por muito tempo é também, de algum modo, de suprema importância no Jogo Infinito.

A Flexibilidade Existencial é maior do que a flexibilidade do dia a dia necessária para administrar uma organização. E não devemos confundir tampouco a Flexibilidade Existencial com nosso desejo inerente pela inovação, também conhecido por Síndrome do Objeto Brilhante. Existe pelo mundo toda uma categoria de funcionários frustrados que trabalham para líderes bem-intencionados, às vezes visionários, que, como um gato que reage a um objeto reluzente, querem ir atrás de cada boa ideia com que se deparam. "É isso aí! Temos que fazer isso para fazer avançar a visão!" Quando acontece uma Flexibilização Existencial, está claro para todos que acreditam na Causa por que ela tem que acontecer. E, embora talvez eles possam não estar confortáveis com a convulsão e o estresse no curto prazo que tal mudança pode causar, todos concordam que isso vale a pena e querem fazê-lo. A Síndrome do Objeto Brilhante, em contrapartida, frequentemente deixa as pessoas desnorteadas e exaustas, não inspiradas.

Quando um líder visionário faz uma Flexibilização Existencial, para o mundo exterior parece que ele é capaz de prever o futuro. Mas não é. No entanto, ele opera com uma visão clara e fixa de um futuro que ainda não existe – sua Causa Justa – e está constantemente fazendo varredura de ideias, oportunidades ou tecnologias que possam ajudá-lo a avançar na direção daquela visão. Alan Mulally usou suas reuniões para rever o plano de negócios da Ford e também para observar o que estava acontecendo em empresas que não eram suas concorrentes tradicionais. "Trata-se de estar sempre de olho em todas as coisas que estão acontecendo e de aprender com elas", explicou ele. Quando um líder com mentalidade mais finita também busca oportunidades, seu olhar tende a estar voltado para dentro do setor, ou para a demonstração do resultado, ou para o horizonte. Um líder de mentalidade infinita com uma Causa Justa olha para fora de seu setor e muitos quilômetros além do horizonte – um lugar que depende da imaginação para ser enxergado. Esse foi com certeza o caso quando Steve Jobs fez uma Flexibilização Existencial na Apple, no início dos anos 1980.

Como mencionei no capítulo anterior, a Apple tinha uma percepção muito clara da Causa. E as sementes da Causa tinham sido plantadas muito antes mesmo de sua fundação. Tendo crescido no norte da Califórnia durante a Guerra do Vietnã, os fundadores da empresa, Steve Jobs e Steve Wozniak, estavam profundamente desconfiados do *establishment*. Adoraram a ideia de empoderar indivíduos para que enfrentassem o Grande Irmão. Durante a revolução da computação da década de 1970, os dois jovens empreendedores viram no computador pessoal a ferramenta perfeita para que indivíduos desafiassem o status quo. Imaginaram uma época em que, graças ao computador pessoal, indivíduos tivessem o poder de enfrentar uma corporação ou até mesmo competir com ela.

Após o lançamento do Apple I e do Apple II, a Apple já era uma companhia altamente bem-sucedida. Estavam trabalhando na próxima iteração de seu produto quando, em dezembro de 1979, Jobs e alguns de seus executivos visitaram o Xerox PARC, centro de inovação da Xerox em Palo Alto, Califórnia. Durante a visita, mostraram aos executivos da Apple uma das novas tecnologias que a Xerox tinha desenvolvido, a chamada "interface gráfica do usuário" (GUI, na sigla em inglês). A interface gráfica do usuário permitia às pessoas usar um computador sem ter que aprender uma linguagem computacional, como o DOS. Em vez disso, com a GUI, os usuários podiam, pela primeira vez, usar um "mouse" para movimentar o "cursor" na tela, "clicar" em "ícones" visuais e em "pastas" que ficavam na "área de trabalho". Se a ideia era empoderar indivíduos, essa inovação, sozinha, possibilitaria o uso de computadores por mais pessoas do que antes.

Após a visita dos executivos da Apple ao Xerox PARC, Jobs apresentou sua ideia. A Apple teria que mudar seu curso. Tinha que investir na GUI. Um dos executivos, com a intenção de ser a voz da razão, falou: "Não podemos." Lembrou a Jobs que a Apple já tinha investido milhões de dólares e incontáveis horas numa direção totalmente diferente. Abandonar aquele trabalho para ostensivamente construir um novo produto a partir do zero representaria significativa tensão adicional para a empresa. Segundo conta o folclore da Apple, esse executivo continuou, dizendo: "Steve, se investirmos nisso, vamos afundar a Apple." Ao que Jobs respondeu: "Melhor nós mesmos nos afundarmos do que outra pessoa fazer isso."

Um líder de mentalidade mais finita seria duramente pressionado ao querer abandonar um caminho estratégico já estabelecido, especialmente se isso significasse jogar tempo e dinheiro já investidos no lixo ou comprometer a perspectiva de um bônus por desempenho. Apesar do custo e do estresse que iriam incidir na companhia, para Jobs a Flexibilização Existencial era a única opção da Apple. A Causa Justa direcionou sua escolha, não o custo que essa escolha acarretaria. E os funcionários da Apple concordaram. As pessoas que amavam trabalhar lá gostavam que Jobs os forçasse a fazer coisas que nem eles nem ninguém tinham feito antes. E, com isso, enveredaram pelo caminho que em apenas quatro anos levou à criação do Macintosh, com um sistema operacional de computador que revolucionou completamente a computação pessoal. Pela primeira vez, o computador pessoal era, realmente, fácil de ser usado por qualquer pessoa. A Microsoft foi obrigada a seguir a liderança da Apple. Quase quatro anos após a apresentação do Mac, a Microsoft lançou o Windows 2.0, primeira versão do Windows com o *look and feel* da versão usada atualmente, um software que foi projetado para fazer um PC funcionar como um Macintosh.

Se você não se afundar, alguém fará isso

"Tão simples de usar quanto um lápis", dizia o anúncio. "Você aperta o botão, nós fazemos o resto." Isso resumia bem a visão de George Eastman quando sua companhia, a Eastman Kodak, introduziu as primeiras câmeras vendidas ao público em geral. Foi no final do século XIX, quando a fotografia era quase exclusivamente praticada por profissionais e adeptos sérios e dedicados. As pessoas comuns não tinham como tirar as próprias fotos de sua família nas férias. O equipamento era volumoso e pesado. Os materiais químicos para tratar as chapas fotográficas eram altamente tóxicos. Tudo complicado e caro. Mas Eastman estava obcecado pela ideia de simplificar a fotografia para o grande público. Embora tenha feito os primeiros avanços no processo como as chapas eram revestidas, a verdadeira ruptura veio quando ele inventou um modo de substituir completamente as pesadas chapas por um tipo de plástico de nitrato de celulose chamado celuloide. Usado originalmente em placas dentárias para fixar dentaduras, somos mais familiarizados com seu uso moderno: o filme fotográfico.

Tendo levado a fotografia ao grande público, a Kodak se tornou uma das maiores empresas do mundo, e George Eastman, um dos homens mais ricos. Após sua morte, em 1932, ela continuou a levar adiante a Causa de Eastman. Sempre em busca de facultar a pessoas comuns melhores maneiras de capturar lembranças, a Kodak introduziu, em 1935, o primeiro filme em cores bem-sucedido. Também pavimentou o caminho para filmes de cinema e filmes caseiros coloridos. A empresa inventou também o projetor de slides com bandeja giratória – um carrossel –, que tornava mais fácil e conveniente para as pessoas mostrar fotos de suas férias, casamento e qualquer outra coisa com que pudessem fazer sua família e seus amigos se reunirem para assistir. No início dos anos 1960, a Kodak inventou o cartucho com filme, que fez a fotografia ser ainda mais simples e conveniente. Agora, pessoas que tinham dificuldade ou ficavam intimidadas em desenrolar o filme e fazê-lo passar por carretéis dentro da câmera só tinham que pôr o filme na parte de trás da câmera e já estavam prontas para ir à praia (se fosse essa a sua intenção). Em 1975, o departamento de pesquisa e desenvolvimento desenvolveu algo realmente notável: a primeira câmera digital. Mas houve um problema...

Embora a opção digital fosse um passo seguinte óbvio para a empresa fazer avançar sua Causa Justa, o problema é que a invenção da fotografia digital desafiava diretamente o modelo de negócio da empresa. A Kodak ganhava dinheiro em todo o processo de tirar fotografias. Ela fazia as câmeras, o filme, os flashes, as máquinas que processavam os filmes, os materiais químicos para a revelação dos filmes e o papel em que as fotos eram impressas. Todos sabiam que a nova tecnologia digital tornaria seu atual negócio obsoleto. Se George Eastman ou qualquer outro líder de mentalidade infinita estivesse no leme, isso não seria um empecilho. Ele veria na nova tecnologia a melhor maneira de a Kodak fazer avançar sua Causa e imaginaria um modo de reconfigurar a companhia. Infelizmente, a Causa foi posta de lado. Agora o pensamento finito dominava a empresa. O objetivo não era mais fazer a Causa avançar, mas gerenciar os custos e maximizar seu resultado financeiro no curto prazo.

Na falta da percepção de uma visão, qualquer que fosse, quando os executivos da Kodak conheceram pela primeira vez a tecnologia digital, sua reação inicial foi que as pessoas não iam querer ver suas fotos numa tela. Eles disseram a seus engenheiros que as pessoas gostavam das fotos no papel. Steven Sasson, o jovem engenheiro a quem se credita a invenção da câmera digital, tentou desesperadamente fazer com que os executivos imaginassem o futuro da fotografia vinte ou trinta anos à frente. Para sua grande decepção, seus líderes não tinham interesse em fazer a Causa avançar e certamente não desejavam tomar qualquer decisão que comprometesse o status quo, especialmente quando tudo estava funcionando às mil maravilhas e era um negócio tão lucrativo. Não tinham nenhuma vontade de transtornar Wall Street ou passar pelo que, no curto prazo, seria o inferno de afundar a própria empresa para avançar sua Causa Justa e recriar a Kodak como uma companhia digital.

E assim, abandonando a visão de Eastman, em vez de decidir pela Flexibilização Existencial, resolveram ignorar a nova tecnologia pelo tempo que conseguissem adiar o inevitável. "Quando você está falando para um grupo de executivos sobre dezoito ou vinte anos no futuro, ocasião em que nenhum deles estará na empresa, eles não ficam muito interessados", disse Sasson. "Cada câmera digital que era vendida tirava de uso uma câmera que usa filme fotográfico, e sabemos quanto dinheiro ganhamos vendendo filmes", continuou Sasson. "Claro, o problema é que logo, logo você não será mais capaz de vender filme – e era isso que eu estava explicando." Em vez de liderar a revolução digital, os executivos da Kodak preferiram fechar os olhos, tapar os ouvidos e tentar convencer a si mesmos de que tudo ia dar certo. E suponho que deu... por algum tempo. Mas não durou muito. Não poderia durar. Estratégias finitas nunca duram.

Agora que o gênio digital tinha saído da lâmpada, a Kodak previu que demoraria dez anos para que outra empresa assumisse a fotografia digital e fizesse dela uma realidade. E tinha razão. Dez anos após ter inventado a primeira câmera digital, a Nikon, companhia japonesa, introduziu a câmera SLR (Single Lens Reflex), que deu aos usuários a capacidade de acoplar ao corpo da câmera um processador digital externo (que era feito pela Kodak, por ser a detentora da patente). Mas foi a Fuji, uma empresa de câmeras japonesa muito menor, que, em 1988, cem anos após Eastman ter introduzido a primeira câmera para o grande público, introduziu no mercado a primeira câmera totalmente digital. Posteriormente a Nikon fez parceria com a Fuji e, juntas, continuaram a inovar e a aprimorar a tecnologia. Cerca de dez anos depois, a Sharp, companhia japonesa de produtos eletrônicos, introduziu o primeiro telefone celular. E dez anos depois disso, do meio para o fim da década de 2000, câmeras digitais e telefones celulares com câmeras embutidas tornaram-se populares.

A Kodak detinha muitas das patentes originais da tecnologia digital e ganhou bilhões de dólares com elas. Isso deu a falsa impressão de que tudo estava indo bem. Os líderes de mentalidade finita acreditaram erroneamente que uma forte demonstração do resultado equivalia a uma empresa forte. Mas não é bem assim. Ao menos não no contexto do Jogo Infinito. Quando as patentes da Kodak prescreveram, em 2007, o dinheiro secou, e cinco anos depois ela entrou em concordata, tentando evitar a falência.

Falência é frequentemente um ato de suicídio. Em retrospecto, quando olhamos as decisões que levaram companhias uma vez bem-sucedidas ao caminho da falência, descobrimos um grande número de líderes obcecados pelo jogo finito. Abandonada a Causa, eles ficam ferrenhamente apegados a modelos de negócio que talvez os tenham ajudado a obter sucesso no passado, mas não poderiam resistir ao teste do tempo. Na maioria dos casos, não são "as condições do mercado", ou "as novas tecnologias", ou qualquer outro item da lista de motivos que costumam ser oferecidos como explicação para o fim de uma empresa. A origem do problema é a incapacidade dos líderes de fazer a necessária Flexibilização Existencial. Ao abandonar a Causa, eles abandonaram também sua capacidade para a Flexibilização (podemos chamar isso de "inflexibilidade existencial"). Em algum momento, toda organização terá que se flexibilizar. Mesmo que essa necessidade talvez não surja durante a gestão de determinado líder, parte da responsabilidade de qualquer líder é desenvolver sua organização de modo que ela tenha a capacidade de exercer a Flexibilidade Existencial caso ele ou seus sucessores precisem tomar essa atitude. Isso significa usar a Causa Justa como um guia e promover uma cultura rica com Equipes de Confiança.

A sentença que abriu o anúncio da queda da Kodak no *The New York Times*, em 19 de janeiro de 2012, resume esse pensamento perfeitamente: "A Eastman Kodak, pioneira dos filmes fotográficos com 131 anos de idade, que tem lutado há anos para se adaptar a um mundo cada vez mais digital, pediu concordata na manhã desta quinta-feira." Uma declaração da CFO, Antoinette McCorvey, revela o jogo finito que os líderes da Kodak estavam jogando. "Desde 2008", dizia a declaração, "apesar dos melhores esforços da Kodak, custos de reconstrução e a recessão econômica continuaram a impactar negativamente a posição de liquidez da companhia". Os líderes de uma grande empresa que já fora infinita tinham abandonado sua responsabilidade moral de fazer avançar a Causa Justa de Eastman por ambições mais finitas. Permitiram que as forças do mercado, e não uma paixão pela visão maior, ditassem o futuro da companhia. E a empresa inteira, as pessoas que nela trabalhavam, a cidade de Rochester e seus acionistas pagaram o preço.[3]

Atualmente, a Kodak é apenas uma sombra do que já foi um dia. Na época em que inventou a câmera digital, ela empregava 120 mil pessoas. Agora, apenas cerca de 6 mil. Embora ainda fabrique filmes e todos os produtos ligados ao processamento de filmes, atualmente, de forma um pouco irônica, todo o seu negócio serve primordialmente apenas um mercado, o prego final no caixão: o de fotógrafos profissionais. A Kodak abandonou completamente a Causa que a fundou.

Sem uma Causa Justa para guiá-los, os executivos da Kodak não tinham a visão ou a coragem para saber o que fazer para o sucesso de sua empresa no longo prazo. O máximo que podiam fazer era reagir ao mundo que os cercava. George Eastman inventou o mercado da fotografia popular. As pessoas que trabalhavam na Kodak foram pioneiras em quase todos os aspectos da indústria. Foi apenas sua mentalidade finita que fez com que sua outrora grande companhia fosse derrubada pela tecnologia visionária que ela mesma inventou.

Capítulo 11

A CORAGEM PARA LIDERAR

Pendurado no saguão da sede da corporação havia um grande cartaz que declarava sua Causa Justa: *Ajudar as pessoas em seu caminho para uma vida mais saudável.* E os executivos da companhia acreditavam nisso. Viam nela um propósito que estava além do de ganhar dinheiro; eles queriam que a empresa fizesse avançar uma Causa maior do que eles próprios. Realizavam regularmente reuniões com empresas de assistência médica, hospitais e médicos sobre como poderiam trabalhar melhor pelos pacientes. No entanto, já perto do fim de muitas dessas reuniões, alguém apontaria para o elefante na sala: "Mas vocês não vendem cigarros nas suas lojas?"[1]

Em fevereiro de 2014, a CVS Caremark anunciou que ia deixar de vender qualquer produto relacionado a cigarros em todas as suas 2.800 lojas. Era uma decisão que custaria à companhia 2 bilhões de dólares por ano em receitas perdidas. Uma decisão que tinham optado por tomar mesmo não havendo pressão competitiva para fazer isso. Não havia pressão popular. Não havia escândalo. Não havia uma campanha on-line que os forçasse a tomar essa decisão.

A notícia foi recebida com esmagador apoio por parte do público em geral. Mas Wall Street e seus gurus não ficaram nada satisfeitos.

"Isso poderia gerar dinheiro em Oz", disse Jim Cramer, um dos comentaristas financeiros da CNBC, "mas Wall Street não é Oz. [Wall Street] não vai dizer: 'Quer saber? Vou comprar a CVS porque eles são bons cidadãos.'" Cramer continuou: "Estou [...] tentando calcular o lucro por ação. E o lucro por ação da CVS só piorou."[2]

Outros comentaristas concordaram e viram na decisão uma oportunidade para os concorrentes da CVS. Um consultor de vendas e marketing de Illinois ressaltou que a decisão traduzia-se em setecentos maços de cigarros por semana que agora seriam vendidos por outros varejistas, acrescentando que "os varejistas sabem que conquistar o consumidor de cigarros adulto gera mais vendas de compras adicionais feitas na mesma visita".[3] Olhando através das lentes dos jogos finitos e infinitos, não posso deixar de ver nessas respostas à decisão da CVS uma mentalidade primorosamente finita. Se o jogo dos negócios fosse um jogo finito, e o futuro, fácil de prever, os gurus estariam com toda a razão. No entanto, acontece que o jogo é infinito, e o futuro, imprevisível.

Mas os setecentos maços de cigarros por semana por loja não foram para outro lugar. Na verdade, eles não foram para lugar nenhum. A venda total de cigarros efetivamente diminuiu. Um estudo independente encomendado pela CVS para avaliar o impacto de sua decisão demonstrou que a venda total de cigarros caiu 1% em todos os varejistas nos estados em que a CVS tinha 15% ou mais de participação no mercado. Nesses estados, cada fumante médio comprou cinco maços de cigarros a menos, totalizando 95 milhões de maços vendidos a menos num período de oito meses. Por outro lado, o número de adesivos de nicotina vendidos aumentou em 4%, indicando que a decisão da CVS na verdade incentivou fumantes a deixar de fumar.[4] Quanto à receita perdida, outras empresas guiadas por um propósito, que anteriormente se recusavam a fazer negócios com a CVS, tiveram seu interesse despertado. Companhias como a Irwin Naturals e a New Chapter, fabricantes de vitaminas e suplementos cujos produtos estão disponíveis na Whole Foods e outras lojas de produtos naturais, finalmente concordaram que a CVS vendesse seus produtos em suas lojas.[5] Uma mudança que permitiu à CVS oferecer a seus clientes uma seleção maior de marcas de alta qualidade e abrir novas fontes de receita. Quando uma empresa que tem uma Causa declarada de ajudar as pessoas a terem vidas mais saudáveis toma uma decisão corajosa para atender a esse propósito, ela não só está ajudando as pessoas a serem um pouco mais saudáveis como também causando um impacto positivo nas vendas totais em suas farmácias.

Claro, há muitos outros fatores que contribuíram para o desempenho das ações da CVS (que logo após a decisão mudou seu nome para CVS Health). Mas, reiterando, a saúde financeira no Jogo Infinito é, assim como o ato de se exercitar, impossível de medir em etapas diárias. Jim Cramer ressaltou habilmente que Wall Street não vai pagar a uma empresa porque ela é composta de bons cidadãos. Mas clientes e funcionários, sim. E os clientes e os funcionários mais leais tendem a se traduzir em um maior sucesso da empresa. E quanto maior o sucesso da empresa, mais os acionistas tendem a ser beneficiados. Ou estou deixando passar alguma coisa?

De fato, como Cramer e outros analistas previram, o preço da ação da CVS caiu 1% um dia após o anúncio, de 66,11 dólares para 65,44 por ação. E se recuperou no dia seguinte. Um ano e meio após o anúncio e oito meses após o plano ser implementado, o preço chegou a 113,65 dólares por ação, o dobro do que era antes do anúncio – e um recorde para a companhia.[6] E quanto ao "critério de ouro" nas métricas financeiras de empresas de capital aberto, com o qual Jim Cramer tinha ficado tão preocupado – o EPS (ou lucro por ação)? Antes do anúncio, em dezembro de 2013, a CVS tinha um EPS de 1,04 dólar. Após o anúncio, caiu para 0,95. No trimestre seguinte, subiu para 1,06 e depois subiu 70% até atingir uma média de 1,77 no transcorrer dos três anos seguintes.[7]

Adotar uma mentalidade infinita num mundo dominado por mentalidades finitas pode custar a um líder seu emprego. A pressão que todos enfrentamos hoje para manter uma mentalidade finita é avassaladora. Para a maioria de nós, quase todos os tipos de oportunidade de carreira que temos são ligadas à ideia de quão bom é nosso desempenho no jogo finito. Acrescente a isso o constante lobby por parte da comunidade de analistas, a pressão do capital privado ou de investidores de risco, o condicionamento dos pacotes de remuneração de executivos ao desempenho das ações, e não ao desempenho da empresa (os quais, espantosamente, nem sempre estão alinhados), nosso ego e a pressão que muitos exercemos sobre nós mesmos porque erroneamente associamos nosso valor ou autovalorização ao desempenho no jogo finito, e quaisquer esperanças que possamos ter de fazer outra coisa que não jogar com mentalidade finita parecem estar completamente descartadas. Curvar-se à pressão dos jogadores finitos que nos cercam é a opção mais fácil e cômoda. Por isso é preciso ter coragem para adotar uma mentalidade infinita.

A Coragem para Liderar é uma disposição a assumir riscos pelo bem de um futuro desconhecido. E os riscos são reais. Pois é muito fácil lidar com o mês, o trimestre ou o ano, mas tomar decisões com os olhos no futuro distante é muito mais difícil. Tais decisões podem de fato nos prejudicar no curto prazo. Podem nos custar dinheiro ou nossos empregos. É preciso que a Coragem para Liderar opere num padrão mais alto do que o da lei – um padrão ético. E, quando somos pressionados a realizar coisas que violam o código ético, a Coragem para Liderar se faz valer, levando os que nos pressionam a agir diferentemente, conscientes da situação que estão criando. E é preciso coragem para oferecer nossa ajuda para que corrijam essa postura. Isso leva a Coragem para Liderar a tomar decisões contrárias aos padrões de negócios vigentes e a ignorar a pressão de componentes externos que não estão engajados ou não acreditam na Causa Justa.

A coragem, no Jogo Infinito, não se refere apenas às ações que empreendemos. Até mesmo líderes que operam com mentalidade finita são capazes de assumir riscos. Coragem, no que diz respeito a liderar com mentalidade infinita, é a disposição para mudar completamente nossa percepção de como o mundo funciona. É a coragem de rejeitar o propósito dos negócios declarado por Milton Friedman e adotar uma definição alternativa. Quando temos a coragem de mudar nossa mentalidade de uma visão finita para uma visão mais infinita, muitas das decisões que tomamos, como a da CVS de parar de vender cigarros, parecem audaciosas demais aos que têm uma visão mais tradicional do mundo. Aos que agora enxergam o mundo através de lentes infinitas, no entanto, essa decisão é, ouso dizer, óbvia.

Então, como achar coragem para mudar nossa mentalidade?

1. Podemos esperar uma dessas experiências que ocorrem uma vez na vida e mexem conosco e desafiam o modo como vemos o mundo.
2. Ou podemos encontrar uma Causa Justa que nos inspire; nos cercar de pessoas com quem compartilhemos uma causa comum, pessoas em quem confiamos e que confiam em nós; identificar um Rival Digno que vai nos impulsionar a melhorar constantemente; e nos lembrar sempre de que estamos mais comprometidos com a Causa do que com qualquer caminho ou estratégia específicos que por acaso estejamos seguindo agora.

O primeiro método é totalmente legítimo e, de fato, é assim que muitos de nossos grandes líderes chegam a ter uma mentalidade infinita. Seja uma tragédia, uma oportunidade ou uma intervenção divina – algo os levou, às vezes de repente, a ver o mundo de modo completamente diferente. Esse método, contudo, depende um pouco da sorte... Eu não recomendaria que passemos nossa vida esperando que uma transformação dessas aconteça.

O segundo método nos permite um pouco mais de controle. Bastam um pouco de fé, disciplina e vontade de praticá-lo. Para muitos, essa conversão pode parecer profunda. Mais além do que parece, no entanto, essa mudança de mentalidade realmente afeta as decisões e ações que empreendemos. Àqueles que ainda veem o mundo através de lentes finitas, nossas ações podem parecer idealistas, ingênuas ou estúpidas. Para os que acreditam no que acreditamos, nossas ações parecerão corajosas. Para os jogadores de mentalidade infinita, essas escolhas corajosas tornam-se as únicas opções disponíveis.

O poder do propósito

"Ela me disse que eu não poderia deixar nossa companhia aérea falir, por causa do impacto drástico que isso teria em sua vida de mãe solteira e trabalhadora", lembrou ele.[8]

Doug Parker fora nomeado o novo CEO da America West Lines em 1º de setembro de 2001. Dez dias depois vieram os acontecimentos do 11 de Setembro. Embora muitos negócios tenham sofrido com isso, o impacto no setor da aviação civil foi especialmente duro. O número de passageiros nos Estados Unidos caiu nos dois anos seguintes até um nível que não se via desde a Segunda Guerra Mundial. Empresas como a United e a US Airways pediram concordata. E companhias aéreas menores e regionais como a America West, que não dispunham da receita polpuda das grandes, pareciam prestes a entrar em colapso.

Parker foi um dos primeiros a pedir um empréstimo governamental da recém-formada Air Transportation Stabilization Board (Junta para Estabilização do Transporte Aéreo, ou ATSB), que ofereceu 10 bilhões ao setor de transporte aéreo depois do 11 de Setembro. Mas a reunião não correu bem. Indo para casa num voo da America West, Parker estava abatido. "A situação não parecia estar nada boa", relembra ele. "Na qualidade de recém-empossado CEO da America West, eu ia ter a carreira mais curta e menos bem-sucedida da história." Para evitar pensar no que acontecera naquele dia, ele decidiu conversar com os comissários de bordo. E foi quando conheceu Mary. Excelente comissária, seu emprego significava tudo para ela. Não era culpa sua trabalhar numa companhia que não tinha força para sobreviver à crise. "A única esperança de Mary para impedir uma grave crise pessoal", conta Parker, "era que as pessoas para quem ela trabalhava imaginassem um modo de manter sua empresa de pé".

Antes de conhecer Mary, evitar o colapso era uma questão gerencial para Parker: conceber números que mantivessem a empresa no negócio. Tratava-se apenas de gerenciar recursos. Depois de conhecer Mary, tornou-se uma missão de caráter pessoal, e também uma questão de vontade. "Esse comprometimento com um propósito maior que nós mesmos nos levou a realizar coisas que provavelmente não seríamos capazes de fazer se simplesmente trabalhássemos para nós mesmos", explicou Parker. Com essa recém-descoberta paixão, o novo CEO e sua equipe lutaram para receber, e receberam, o empréstimo governamental que em seu voo para casa parecia impossível de obter. Buscando fortalecer mais a companhia e ter uma rede de rotas mais competitiva, Parker levou a America West a uma fusão com a US Airways em 2005 e com a American Airlines em 2013. "Àquela altura, minha missão estava cumprida", diz Parker com orgulho. "A American é a maior empresa aérea do mundo. Nossa equipe estava finalmente em segurança."

Mas alguma coisa ainda incomodava Parker. "No início de 2016, eu me vi questionando o propósito do meu trabalho", contou ele. "Tínhamos alcançado um propósito maior do que nós mesmos e eu continuava indo para o trabalho, mas isso não parecia mais tão gratificante. Estaria trabalhando apenas pelo dinheiro?", ele se lembra de ter se perguntado. "Por prestígio? Eu certamente não gostava da ideia de responder a qualquer dessas perguntas de forma afirmativa." Parker começou a se perguntar se deveria deixar a empresa. Mudar para fazer algo que "pudesse realizar melhor meu desejo de trabalhar por uma causa maior", como ele expressou. Isso é muito comum entre pessoas bem-sucedidas. Após finalizarem suas carreiras elas começam a criar fundações ou a distribuir sua riqueza em atos de caridade, trabalhando para realizar seu desejo de retribuir, para aquele "algo" mais filantrópico. Mas propósito não é algo que só encontramos após uma carreira bem-sucedida.

O impulso de Parker no sentido de ajudar Mary e seus colegas, ainda que incrivelmente inspirador, pode ser considerado um *moonshot*. Tinha uma linha de chegada. E uma vez atingida, Parker foi atrás de outra causa. Tinha saboreado o gosto de ser impulsionado por algo maior do que ele mesmo. Nele se acendera a paixão de levar a empresa a um êxito que nunca tivera antes – não para a própria glória, mas para ajudar seus funcionários. E queria ter essa sensação novamente.

Parker ouviu uma palestra de Bob Chapman, o CEO da companhia industrial Barry-Wehmiller. Chapman (sobre quem escrevi extensamente em *Líderes se servem por último*) é um defensor sincero da ideia de que os melhores líderes e as melhores empresas priorizam pessoas em vez de números. O fato de que sua companhia prospera além das expectativas com uma filosofia de "pessoas são mais importantes do que os lucros" faz com que receba convites para falar tanto a convertidos quanto a céticos. Em uma dessas palestras, Parker foi impactado com uma clara constatação – ele tinha reconhecido o *moonshot*, mas ainda não tinha reconhecido seu contexto. Trabalhar para dar às pessoas segurança no emprego e uma remuneração maior podia ser um marco essencial em sua jornada, mas não a Causa Justa capaz de inspirá-lo para o resto da vida. "Precisávamos criar um ambiente que se preocupasse com eles! No qual fossem reconhecidos e apreciados pelo seu grande trabalho; onde seus líderes cuidassem deles; e no qual fossem para casa ao fim do dia sentindo-se realizados. Essa era a nova missão maior do que eu mesmo que estava procurando", fala Parker sobre seu novo propósito infinito.

Então, o que acontece quando o CEO da maior empresa aérea do mundo tem a coragem de mudar o modo como lidera – mudar de uma mentalidade finita para uma infinita?

Assim como tantas companhias que priorizam o lucro às pessoas, a American Airlines tinha um histórico em relação a questões de confiança com seus funcionários. Muito antes de Doug Parker aparecer, a liderança tinha negociado significativas concessões por parte dos sindicatos, em nome de "ajudar a empresa a gerenciar a concordata", enquanto, ao mesmo tempo, dava garantias aos sete executivos de mais alto escalão de que receberiam bônus cujo valor era o dobro de seu salário simplesmente para continuarem lá por mais alguns anos. Como se não fosse ruim o bastante, foram separados 41 milhões de dólares para proteger as pensões dos 45 executivos mais graduados da empresa. Não foram feitas provisões semelhantes para os funcionários das fileiras mais baixas da hierarquia.

O escândalo resultou, por fim, na renúncia do então CEO Donald Carty. Em sua última declaração, ele manifestou a esperança de que seus sucessores tentassem construir uma "nova cultura de colaboração, cooperação e confiança".[9] Algo que, apesar de garantias oferecidas publicamente, seus sucessores, Gerard Arpey e Tom Horton, não foram capazes de honrar. E persistiam as violações de confiança e possivelmente um declínio ético. A menos que uma nova equipe de liderança quisesse fazer escolhas difíceis e sacrifícios para demonstrar que realmente eram dignos de confiança, nada iria mudar. Parker compreendeu que pomposos pronunciamentos sobre como as coisas iam ser diferentes pouco fariam naquela situação. Sabia que ele e sua equipe de liderança precisavam achar coragem para demonstrar que as coisas iriam, de fato, ser diferentes. E foi exatamente o que ele fez.

A primeira ação significativa aconteceu em 2015, quando negociaram novos contratos para seus pilotos e comissários de bordo, que receberiam os maiores salários do setor. Um ano depois, no entanto, a Delta e a United assinaram novos contratos com seus pilotos e comissários de bordo, superando em 5% os valores da American para comissários e em 8% os valores para os pilotos. Com a cultura do cinismo ainda viva e operante, muitos acreditaram, erroneamente, que a liderança sabia que isso ia acontecer e trabalhara para se adiantar e prendê-los a contratos de valor mais baixo pelos próximos cinco anos.

"Dizer que você confia nas pessoas são só palavras", diz Parker. "Para validar a confiança, temos que agir de um modo que dê vida às palavras."[10] A maioria das equipes de executivos simplesmente daria de ombros e prometeria lidar com isso na próxima negociação de contratos. "Não é esse o propósito de um contrato?", poderiam dizer. No entanto, não se constrói confiança com força; confiança se constrói agindo de modo consistente com os valores das pessoas, especialmente quando menos se espera. Confiança se constrói quando fazemos a coisa certa, especialmente se não somos obrigados a isso. E ver seus funcionários serem deixados para trás na média do setor durante quatro anos ou mais não "pareceu ser correto para a nova American nem consistente com nosso compromisso", segundo uma declaração conjunta de Parker e do presidente da empresa, Robert Isom.[11]

Os executivos seniores decidiram dar a todos os comissários e pilotos, em plena vigência do contrato, um aumento de 5% e 8% respectivamente, e não pediram nada em troca. A decisão custaria à companhia 900 milhões de dólares nos três anos seguintes. Sabiam que Wall Street detestaria essa decisão. E tinham razão.

Em 27 de abril de 2017, quando a American fez o anúncio, as reações de Wall Street, previsivelmente, foram de desaprovação. Um analista, Kevin Crissey, que se especializara no setor da aviação civil para o Citibank, escreveu a seus clientes: "Isso é frustrante. Para variar, é o trabalho que está sendo pago primeiro. Os acionistas ficam com o que sobra."[12] Uma carta de um grupo de analistas do J. P. Morgan ecoou o sentimento geral. "Estamos preocupados com a transferência de uma fortuna de quase 1 bilhão de dólares para o quadro de funcionários da American Airlines", dizia a sentença de abertura da carta. "Somos sensíveis ao desejo da companhia de 'construir uma base de confiança' com seus trabalhadores", explicava a carta, "mas achamos que esse último acordo foi longe demais. [...] A solução para cobrir o aumento dos salários não é correr atrás deles, em nossa opinião. Às vezes, o *timing* para o comprometimento de alguém é simplesmente fortuito".[13] Com "fortuito", creio que eles estavam dizendo "possivelmente injusto, não a nosso favor". Felizmente, os líderes da American Airlines tiveram a coragem de fortalecer sua companhia sem levar em consideração o Sr. Crissey e as estruturas de bônus anuais da equipe do J. P. Morgan.

Infelizmente, é a mentalidade finita de pessoas como o Sr. Crissey e os analistas do J. P. Morgan que ajuda a distorcer o mercado. A American previu que perderia até 5% de valor de mercado. No dia seguinte ao anúncio, o preço das ações caiu na verdade 9%. A boa notícia é que o pensamento de curto prazo frequentemente tem impacto no curto prazo. Em menos de duas semanas a ação recobrou seu valor original e, no fim do ano, o valor estava 20% maior. Mesmo assim, muitos em Wall Street alegaram que a American Airlines seria ainda mais lucrativa se não tivesse dado o aumento aos funcionários – mais uma vez demonstrando sua tendência aos recursos e não à vontade. Os que têm pensamento finito não consideram que um investimento em pessoas no fim vai beneficiar a companhia, os clientes e seus investidores (e provavelmente não vão reconhecer que foi a orientação deles que jogou o preço da ação para baixo).

Um CEO de uma grande companhia de capital aberto me contou que os analistas de Wall Street tendem a escrever para as comunidades do curto prazo. Logo, tendem a escrever aquilo que promove seus interesses – objetivos finitos. Ao responder a uma pergunta sobre toda aquela conversa dos analistas de curto prazo, Parker admitiu que era difícil ignorá-la completamente. "Temos que dar atenção a isso, e podemos ser rapidamente sugados por ela." A boa notícia é que Parker, sua equipe e a junta de diretores estão trabalhando duro para serem menos reativos a esse ruído e ficarem mais focados no longo prazo. "Temos que cuidar de nossa equipe de modo que ela possa cuidar de nossos clientes", diz Parker. "É assim que vamos criar valor para nossos acionistas."[14]

A American Airlines ainda está na fase inicial de sua nova jornada. Mas, como agora estão contando uma história que visa mais ao longo prazo do que ao passado, vêm, sem surpresa alguma, atraindo a atenção de investidores cuja mentalidade é de longo prazo. Os tipos de investidor que se preocupam menos com flutuações no curto prazo. Um deles é Ted Weschler, um dos quatro gerentes de investimento que dirigem a Berkshire Hathaway, de Warren Buffett, uma empresa muito conhecida por suas posições no longo prazo – raramente vendem ativos nos quais investiram. (Acontece que acionistas de longo prazo, como a Berkshire Hathaway, têm seus próprios analistas e tendem a não ser levados pelo ciclo de 24 horas nas notícias financeiras.)

Buffett – o Oráculo de Omaha, um dos mais bem-sucedidos investidores da história e um dos homens mais ricos do mundo, reverenciado nos círculos financeiros do mundo inteiro – escreveu uma vez que companhias aéreas eram um dos piores investimentos que alguém poderia fazer. Como explicou uma vez numa carta a acionistas da Berkshire Hathaway em 2007: "O pior tipo de negócio é o que cresce rapidamente, que exige um capital significativo para engendrar esse crescimento e depois ganha pouco ou nenhum dinheiro. Pense nas companhias aéreas. Aqui, uma vantagem competitiva durável mostrou ser elusiva desde o tempo dos irmãos Wright. De fato, se um capitalista de visão avançada estivesse presente em Kitty Hawk, ele faria a seus sucessores um favor se jogasse Orville lá embaixo."[15] Vale notar que, no momento da publicação deste livro, a Berkshire Hathaway é a maior acionista individual da American Airlines. E quando Doug Parker os informou de sua intenção de, em pleno vigor do contrato, dar um aumento a seus comissários de bordo e pilotos, Weschler deu sua bênção. O engraçado é que todos esses pensadores finitos que reclamam da visão de liderança de Parker provavelmente continuarão investindo na American Airlines se acharem que vão ganhar dinheiro com isso.

Não é preciso coragem para manter uma mentalidade finita

A CVS decidiu usar sua Causa Justa como guia para os negócios e foi a primeira a assumir o risco de remover os cigarros das lojas. Isso deveria fazer com que fosse mais fácil que outros seguissem seu exemplo. No entanto, no momento em que este livro está sendo escrito, seus maiores concorrentes, Walgreens e Rite Aid, continuam a ter cigarros nas prateleiras. Quero lhes dar o benefício da dúvida. Mesmo sendo farmácias, talvez tenham optado por manter o rumo anterior porque têm uma Causa diferente da Causa da CVS. Talvez suas decisões sejam consistentes com seus propósitos declarados. Assim, para ter certeza, fui verificar.

Na seção "Sobre nós" no site da Walgreens Boots Alliance (a companhia que é proprietária das farmácias Walgreens), declara-se que seu propósito é "ajudar as pessoas em todo o mundo a levar vidas mais sadias e felizes". E depois se lê: "A Walgreens Boots Alliance leva a sério seu objetivo de inspirar um mundo mais sadio e feliz, como se reflete em nossos valores essenciais." O primeiro é: "Confiança, respeito, integridade e franqueza guiam nossas ações para que façamos a coisa certa."[16] Quando questionada sobre se planejava seguir o exemplo da CVS, a Walgreens fez uma declaração que incluía sua "decisão de ativamente reduzir o espaço e a visibilidade dos produtos ligados ao fumo em determinadas lojas, focando-nos em ajudar clientes que queiram parar de fumar".[17] Muito ousado, Walgreens, muito ousado.

O diretor-executivo da Walgreens Boots Alliance, James Skinner, respondeu à mesma pergunta declarando: "Nós reavaliamos isso regularmente e está sempre em aberto rever essa decisão ao longo do caminho."[18] Não é o oposto de coragem ou de convicção? O que exatamente o Sr. Skinner tem medo que aconteça caso tome uma decisão consistente com o efetivo propósito declarado da empresa?

Segundo os Centros de Controle e Prevenção de Doenças (CDC), o fumo é a principal causa evitável de mortes nos Estados Unidos. O número de pessoas que morrem por causa do cigarro a cada ano é maior do que o das pessoas que morrem de HIV, uso ilegal de drogas, abuso de álcool, acidentes de carro e incidentes com armas de fogo somados! O cigarro mata 480 mil pessoas *todos os anos* nos Estados Unidos. São 80 mil a mais do que o número total de americanos que morreram em serviço durante *toda* a Segunda Guerra Mundial![19] Os custos econômicos também são exorbitantes. Todas as doenças relacionadas com o fumo custam aos contribuintes americanos mais de 300 bilhões de dólares *por ano*. O custo integral do programa de ônibus espaciais da NASA, que inclui a construção dessas naves (cinco das quais foram ao espaço), custou aos contribuintes 196 bilhões de dólares em todos os trinta anos de sua existência (média de 6,5 bilhões por ano). A assistência médica *anual* relacionada com o fumo custa ao país quase cinquenta vezes mais do que viajar ao espaço![20]

Se uma empresa de petróleo é considerada responsável pelos custos associados a derramamentos de óleo, ou mesmo a um vazamento em oleoduto, e se uma empresa automotiva é considerada responsável quando um defeito no projeto de um carro causa danos físicos a alguém, as empresas de tabaco e as lojas que vendem seus produtos não deveriam ser consideradas responsáveis por esse custo anual de

300 bilhões de dólares? Lembre-se dos erros na percepção de causas mencionados na seção sobre o declínio ético. É óbvio que uma rede de farmácias que se dedica a ajudar as pessoas a serem saudáveis e que vende um produto altamente viciante e cancerígeno como o cigarro é parcialmente responsável pela doença que causa a seus clientes, não é?

A melhor maneira isolada de evitar todas as mortes e resgatar todo o dinheiro que perdemos em doenças relacionadas ao fumo é ajudar os fumantes a deixarem de fumar. Algo que a maioria dos fumantes *quer* fazer. Quase 70% de todos os fumantes, muitos dos quais compram os maços em farmácias, relatam que querem deixar de fumar.[21] Mas isso não é fácil e, obviamente, exige muito esforço, portanto oferecer um programa antitabagista ao lado de uma oferta de cigarros não é de muita ajuda. A escolha que se apresenta ao consumidor fica entre um item que satisfaz um desejo e que se compra num impulso e outro que exige disciplina e esforço. Quem *realmente* quiser ajudar terá que tentar fazer a opção mais difícil ser um pouco mais fácil, removendo totalmente aquilo que provoca o impulso… mesmo que para fazer isso haja um custo. Isso é o que é a Coragem para Liderar!

Se os líderes de uma organização vão tão longe a ponto de declarar uma Causa Justa, ou um propósito para sua organização, eles precisam acreditar efetivamente nessa Causa. Todo o sentido de ter uma declaração de Causa ou propósito é que eles *realmente* acreditem que o propósito do seu negócio é maior do que apenas ganhar dinheiro. Uma Causa só poderá avançar se eles fizerem coisas que a ajudem a avançar. Se não, qual é o sentido de ter uma Causa escrita na parede ou no site?

Cada vez mais pessoas dizem querer trabalhar para uma empresa que é movida por um propósito, especialmente os *millennials* (Geração Y) e a Geração Z – pessoas nascidas, respectivamente, entre 1980 e 1990, e entre 1990 e início de 2010.

Mas, sem líderes de mentalidade infinita que estejam comprometidos e desejosos de desafiar as normas de como funciona o mundo dos negócios, declarações de Causa são apenas marketing para que nos sintamos melhor – coisas que uma companhia pode dizer para cair nas graças de gente dentro ou fora da organização, mas em que ela não acredita ou que não faz. Talvez a pressão para atingir as metas esteja agindo sobre os líderes de negócios como agiu sobre aqueles seminaristas em Princeton. Se os líderes de empresas não tiverem real interesse em adotar uma mentalidade infinita, ou ao menos em estar abertos à ideia de que talvez não tenham avaliado todos os aspectos da questão, poderiam ao menos ter a coragem de dizer quais são suas verdadeiras intenções e apagar de seus sites e de suas ações de marketing o que parecem ser declarações ocas de propósito ou causa. Ser honesto quanto às intenções no curto prazo seria, como a Walgreens explica em sua exposição de valores, agir com integridade para construir confiança. Mas, ora... isso exige coragem.

Após o anúncio da CVS, a Rite Aid, a terceira maior cadeia de farmácias dos Estados Unidos, respondeu à mesma pergunta, se ela seguiria o exemplo. Afinal, fazer isso também seria consistente com seu propósito declarado. A primeira sentença da seção "Nossa história" no site da empresa diz: "Na Rite Aid nos interessamos pessoalmente por sua saúde e seu bem-estar. É por isso que oferecemos os produtos e serviços de que você, nosso valioso cliente, precisa para levar uma vida mais saudável e feliz."[22] Ainda assim, quando questionada se deixaria de vender cigarros em suas lojas, a empresa deu uma declaração que o próprio Milton Friedman poderia ter escrito: "A Rite Aid oferece uma ampla gama de produtos, inclusive cigarros, que estão disponíveis para compra de acordo com as leis federais, estaduais e municipais."[23]

Pense nisso por um momento. Quando uma empresa responde a uma pergunta de fundo ético (ou defende uma decisão antiética) explicando que do ponto de vista legal tem o direito de fazer o que está fazendo, assemelha-se alguém que foi pego traindo seu namorado ou sua namorada de muitos anos e responde: "E daí?! Não somos casados. Não transgredi nenhuma lei. Posso dormir com outra pessoa se eu quiser." Seu ato pode de fato estar dentro da lei, mas dificilmente esse é o tipo de resposta que estabelece ou reconstrói confiança.

Quando empresas e as pessoas que as lideram agem com coragem e integridade, quando demonstram que são honestas e têm bom caráter, frequentemente são recompensadas com a boa vontade e a confiança de seus clientes e funcionários. Um dia após a CVS ter feito o anúncio de que iria remover os cigarros de todas as suas lojas, o telefone tocou na mesa de Maryalyce Saenz. Era sua mãe. Quase em lágrimas, ela disse a Maryalyce que estava muito orgulhosa de a filha trabalhar para uma companhia como a CVS. Durante anos, o tabagismo do pai de Maryalyce tinha sido causa de conflito na família. "Foi realmente uma iniciativa corajosa", explicou Maryalyce. "Eu estava orgulhosa de vir trabalhar naquele dia. E, pensando bem", continuou ela, "foi naquele dia que eu me sentei à minha mesa e pensei estar no lugar certo".[24] Pode-se dizer com absoluta segurança que nem funcionários nem clientes têm o mesmo cálido e aconchegante sentimento quando uma empresa apenas obedece à lei.

A coragem de ver o Jogo Infinito – ver o propósito do negócio como algo mais heroico do que simplesmente ganhar dinheiro, mesmo se isso for impopular entre os jogadores finitos que nos cercam – é difícil. A verdadeira Coragem para Liderar sustenta a companhia e suas lideranças num padrão muito mais alto do que simplesmente o de agir dentro dos limites da lei. Apenas quando a organização opera num nível mais elevado do que o das leis federais, estaduais e municipais podemos dizer que ela tem integridade: firme adesão a um código de valores especialmente morais ou artísticos – incorruptibilidade. De fato, a perseguição de uma Causa Justa é um caminho de integridade. Significa que palavras e ações têm que estar alinhadas. Significa também que haverá momentos em que a liderança precisará optar por ignorar todas as vozes que clamam à empresa que atenda aos interesses daqueles que não necessariamente acreditam de todo na Causa.

Integridade não quer dizer apenas "fazer a coisa certa". Integridade significa agir antes da pressão ou do escândalo públicos. Quando líderes sabem que algo é antiético e só atuam depois do clamor que isso suscita, não se trata de integridade. É apenas controle de danos. "Eles esperam até a opinião pública lhes dizer o que fazer", falou Rosabeth Moss Kanter, professora da Harvard Business School, quando explicava como CEOs tomam decisões hoje em dia. "O suprimento de coragem dos CEOs anda curto."[25]

Rupturas e encruzilhadas

Seres humanos são confusos e imperfeitos. É impossível existir um líder com uma perfeita mentalidade infinita e muito menos uma empresa com uma mentalidade infinita perfeita. Na realidade, mesmo as empresas mais focadas no longo prazo podem se desviar para o curto prazo. E, quando isso acontece, é preciso que a Coragem para Liderar reconheça que a organização se desviou de sua Causa e a liderança tem que ter a coragem de voltar a seu rumo.

Infelizmente, isso é algo comum quando uma organização alcança grande sucesso. Enquanto o jogador de mentalidade infinita vê que a situação é apenas a ponta do iceberg, independentemente de quanto sucesso tradicional usufrua, o jogador finito jogará na defesa para proteger sua posição. É preciso ser uma liderança corajosa para permanecer no Jogo Infinito depois de chegar ao topo. Se reconhecer isso, a Causa é infinita. Infelizmente, a tentação de se converter ao finito é muito atraente.

Houve um período, por exemplo, no qual a corporação Disney desviou-se de sua Causa infinita para buscar propósitos mais finitos, como domínio global, aumento do valor para os acionistas e enriquecimento de quem optasse por possibilitar isso. Em 1993, a Disney comprou a Miramax Films, que continuou a produzir filmes de caráter nada familiar como *Pulp Fiction: Tempo de Violência*, de Quentin Tarantino; a comédia de humor negro de Danny Boyle sobre viciados em heroína escoceses, *Trainspotting: Sem Limites*; e o relançamento de uma versão estendida da jornada surreal de Francis Ford Coppola na Guerra do Vietnã, *Apocalypse Now*. Sob a Disney Hollywood Records pudemos usufruir de eventos tão pouco adequados à família quanto a banda punk hardcore Suicide Machines e a banda de heavy metal World War III.

Sempre que um novo CEO assume o cargo, ele se vê numa encruzilhada. Como vai liderar? Quando Mike Duke e Steve Ballmer assumiram o leme na Walmart e na Microsoft, respectivamente, ambos fizeram a escolha de liderar suas companhias por um caminho finito. Se as empresas se mantivessem nesse caminho, poderiam ter sido obrigadas a abandonar completamente o jogo. Os CEOs que os substituíram, Doug McMillon, na Walmart, e Satya Nadella, na Microsoft, também tomaram uma decisão: fazer o que fosse preciso para pôr suas respectivas empresas de volta no caminho infinito. E, embora tenham enfrentado muitos desafios, ambos parecem estar genuinamente comprometidos com liderar uma Causa, não apenas administrar uma companhia.

Eventos de grande importância, como uma oferta pública inicial de ações ou uma mudança na liderança, também podem forçar uma organização a escolher um dos dois caminhos. No entanto, não é preciso haver um evento específico para fazer uma organização se desviar do caminho infinito para um finito. Esses desvios, ou rupturas, do caminho infinito são na verdade bem normais. Pessoas saem de seus caminhos o tempo todo. Frequentemente abandonamos uma rotina saudável ou largamos comportamentos sadios. Como empresas são dirigidas por pessoas, é de se esperar que esse tipo de coisa aconteça. Os motivos que fazem uma organização se desviar do rumo são, frequentemente, bem consistentes. Isso ocorre quando líderes ficam mais interessados nos próprios propósitos finitos do que no Jogo Infinito e arrastam a organização para a lama junto com eles.

Empresas também se encontram em encruzilhadas quando seus líderes começam a acreditar nos próprios mitos – como o de que o sucesso do qual a empresa usufruiu sob sua liderança foi resultado de sua genialidade, e não devido aos funcionários, que foram inspirados pela Causa que estavam determinados a levar adiante. Esses líderes, com muita frequência, estão focados em levar sua fama, fortuna, glória e seu legado adiante, às custas da empresa e da Causa dela. O gerenciamento fica desconectado das pessoas e a confiança é rompida. Então, necessariamente, o desempenho começa a sofrer os mesmos líderes são mais céleres em culpar outros do que em considerar o que pôs a empresa no novo caminho. Para "resolver" o problema, sua fé nas pessoas é substituída pela fé no processo. A companhia fica mais rígida e o poder de tomar decisões é frequentemente removido das linhas mais básicas. Não é um bom sinal quando o capitão de um navio, que deveria estar no convés conduzindo-o em direção ao horizonte, fica no bojo da embarcação mexendo nos motores para fazê-lo navegar mais depressa.

O Facebook foi um jogador infinito que agora parece estar percorrendo um caminho mais finito. Fundado em 2004, surgiu com a bem articulada Causa de "dar às pessoas o poder de criar comunidades e aproximar indivíduos do mundo inteiro". Hoje, no entanto, ele se vê envolvido em escândalos que fazem tudo menos "aproximar indivíduos do mundo inteiro". O Facebook foi acusado de violar a privacidade de seus usuários, rastrear seus hábitos on-line (mesmo quando não estão logados), deixar de policiar adequadamente contas falsas ou notícias falsas disseminadas por seu serviço e depois vender todos os dados que coletou ou usá-los para maximizar os lucros que pode obter com a venda de publicidade. Duvido que foi isso que Mark Zuckerberg quis dizer com "dar poder às pessoas". Será que o Facebook se desviou de seu outrora inspirador caminho infinito devido à avassaladora pressão que seus líderes sofreram para corresponder às expectativas finitas de Wall Street? Será que estão se dobrando a um modelo de negócios movido pela venda de publicidade em vez de fazer uma Flexibilização Existencial para reconfigurar toda a empresa? Será que os líderes perderam a conexão com sua Causa Justa e com aqueles a quem deveriam estar servindo primordialmente para continuar no jogo? Será arrogância? Hoje, quando o Facebook faz o que é certo, frequentemente é resultado de pressão pública ou de algum escândalo, e raramente uma decisão proativa tomada para proteger aqueles a quem serve e para fazer avançar a Causa. O Facebook reagiu ao escândalo da Cambridge Analytica, por exemplo, somente depois que este veio a público, mesmo estando ciente das práticas antiéticas da outra empresa antes que nós tivéssemos conhecimento delas. Independentemente de qual foi a combinação de fatores que levou o Facebook para esse caminho, não há como contornar o fato de que está agindo com uma mentalidade mais finita do que agiu no passado. O fato de ser grande e rica não significa que uma companhia não possa fracassar, embora o dinheiro certamente ajude a adiar o inevitável neste jogo infinito. O dinheiro também provê o meio de os líderes porem tudo novamente nos trilhos. A única questão é se farão isso ou não. Com um pouco de Coragem para Liderar, podem restaurar a confiança das pessoas que ajudaram a conquistar seu sucesso, antes que seja tarde demais.

Como a Microsoft, a Walmart e a Disney demonstraram, as empresas podem se permitir desviar do rumo por algum tempo. Ainda vão ter que enfrentar o desafio de voltar ao caminho infinito no qual começaram. Embora algumas possam arcar com o custo do desvio durante mais tempo, o dinheiro sempre acaba. Nem toda organização pode se permitir ficar muito tempo fora do caminho infinito. Independentemente do tamanho da empresa, os elementos de uma liderança de mentalidade infinita que tentei apresentar neste livro constituem a melhor maneira de ajudar a permanecer nessa jornada infinita. Jogar o Jogo Infinito não é ticar itens de uma lista, é uma mentalidade.

Como achar a Coragem para Liderar

Em minha vida, o único fator comum em todos os meus relacionamentos fracassados sou eu. O fator comum em todas as lutas e todos os reveses que líderes finitos enfrentam é seu próprio pensamento finito. Admitir isso exige coragem. Trabalhar para abrir a mente a uma nova visão de mundo exige ainda mais coragem. Especialmente quando sabemos que muitas de nossas escolhas vão dar errado. Tomar medidas efetivas para adotar uma mentalidade infinita na cultura de uma organização pode parecer a muitos que exige insuperável coragem. E, na verdade, exige, sim. Pois pode ser embaraçoso, até mesmo humilhante, admitir que somos parte do problema. Também pode ser libertador, inspirador e parte da solução.

Poucos têm a coragem de mudar sozinhos de uma mentalidade finita para uma mais infinita. Temos que encontrar outros que compartilhem nosso senso de responsabilidade, pessoas que compartilhem nossas crenças de que é tempo de mudar e de que precisamos trabalhar juntos para isso. Em todos os casos que citei para demonstrar a Coragem para Liderar, as decisões mais difíceis não foram tomadas por grandes mulheres e homens. Foram tomadas por grandes parcerias. Grandes equipes. Grandes pessoas que se uniram sob uma causa comum. Assim como nenhum trapezista mundialmente famoso jamais tentaria pela primeira vez um novo salto sem uma rede de segurança, tampouco poderemos ter a Coragem para Liderar sem ajuda. Os que acreditam no que nós acreditamos são nossa rede.

Líderes corajosos são fortes porque sabem que não têm todas as respostas e não têm o controle total. O que eles têm é um ao outro, e uma Causa Justa para guiá-los. O líder fraco segue a rota que lhe parece mais conveniente. Pensa que tem todas as respostas ou tenta controlar todas as variáveis. É preciso menos coragem para anunciar demissões no fim do ano – a fim de reduzir rapidamente os números para que se enquadrem numa projeção arbitrária – do que para explorar outras opções, muitas vezes não testadas. Quando líderes exercitam a Coragem para Liderar, as pessoas que trabalham em suas organizações começam a refletir essa mesma coragem. Assim como crianças imitam os pais, os funcionários imitam seus líderes. Líderes que priorizam a si mesmos em vez do grupo criam culturas em que os funcionários priorizam o próprio progresso em vez da saúde da empresa. Coragem para Liderar gera Coragem para Liderar.

POSFÁCIO

Nossas vidas são finitas, mas a vida é infinita. Somos jogadores finitos no Jogo Infinito da vida. Chegamos e partimos, nascemos e morremos, e a vida continua com ou sem nós. Há outros jogadores, alguns deles são nossos rivais, obtemos vitórias e sofremos derrotas, mas podemos sempre continuar jogando amanhã (até ficarmos sem capacidade para continuar no jogo). E não importa quanto dinheiro ganhemos, não importa quanto poder acumulemos, não importa quantas promoções nos são dadas, nenhum de nós jamais será declarado vencedor do jogo da vida.

Em qualquer outro jogo, temos duas opções. Mesmo que não cheguemos a escolher as regras, podemos escolher se queremos jogar e como queremos jogar. O jogo da vida é um pouco diferente. Nesse jogo, só temos uma escolha. Uma vez tendo nascido, somos jogadores. A única escolha que temos é se queremos jogar com mentalidade finita ou mentalidade infinita.

Se optamos por viver nossa vida com mentalidade finita, isso significa que fizemos com que nosso propósito primordial seja ficar mais ricos ou sermos promovidos mais rapidamente do que outros. Viver nossa vida com mentalidade infinita significa que somos movidos a fazer avançar uma Causa que é maior que nós mesmos. Consideramos aqueles que compartilham essa visão conosco parceiros na Causa e trabalhamos para construir relacionamentos de confiança com eles de modo que possamos avançar juntos para o bem comum. Somos gratos pelo sucesso que desfrutamos. E, à medida que avançamos, trabalhamos para ajudar quem nos cerca a crescer. Viver a vida com mentalidade infinita é se doar.

Lembre-se: na vida, somos jogadores em vários jogos infinitos. Nossas carreiras representam apenas um deles. Nenhum de nós jamais será declarado vencedor da paternidade ou da maternidade, tampouco da amizade, da aprendizagem ou da criatividade. Contudo, podemos escolher a mentalidade com a qual vamos abordar tudo isso. Uma abordagem finita à nossa paternidade ou maternidade significa fazer o máximo que pudermos para garantir que nossos filhos não só obtenham o melhor de tudo, mas também que sejam os melhores em tudo. Isso não necessariamente é um problema, pois essas coisas ajudarão nossos filhos a "vencer na vida", exceto quando a mentalidade finita for a estratégia principal, pois isso pode levar ao declínio ético ou nos impulsionar a ficarmos mais obcecados com a posição de nossos filhos na hierarquia do que com saber se eles estão realmente aprendendo ou crescendo como pessoas. Um exemplo extremo é compartilhado pela Dra. Wendy Mogel, psicóloga clínica e autora best-seller do *The New York Times*. Ela conta a história de um pai que ergueu a mão durante uma de suas conferências para lhe contar que "teve uma briga com o pediatra quanto à escala de Apgar do filho... e ganhou". A escala de Apgar é um teste realizado entre um e cinco minutos após o nascimento da criança para determinar sua força. Basicamente, como explica a Dra. Mogel, "se a criança é azul e flácida, a nota é um, se é rosada e rechonchuda, a nota é cinco". Pense nisso por um instante. Esse pai parecia estar mais preocupado com "ganhar" e atribuir a seu filho recém-nascido uma nota mais alta do que preocupado com sua saúde real. Agora avance dezoito anos no tempo e pense até onde esse pai pode ir para garantir que seu filho tenha as melhores notas para ingressar nas melhores faculdades, ignorando o tempo todo se o filho está realmente aprendendo ou se é saudável sob qualquer outro critério.

Ser um progenitor com mentalidade infinita, em contraste, significa ajudar os filhos a descobrirem seus talentos, estimulando-os a descobrir as próprias paixões e os incentivando a seguir o próprio caminho. Significa ensinar a nossos filhos o valor de se doar, ensinar como fazer amigos e ser gentil com os outros. Significa ensinar a nossos filhos que sua educação vai continuar mesmo depois de se formarem na escola. Vai durar a vida inteira… e não há currículo ou notas para orientá-los. Significa ensinar a nossos filhos como viver uma vida com mentalidade infinita. Não há maior contribuição no Jogo Infinito do que educar as crianças para continuarem a crescer e a se doar muito depois de termos ido embora.

Viver a vida com mentalidade infinita significa pensar nos efeitos secundários e terciários de nossas decisões. Significa pensar em quem votar olhando através de lentes diferentes. Significa assumir responsabilidade pelos impactos que as decisões que tomamos hoje causarão mais tarde.

E, como em todos os jogos infinitos, no jogo da vida o objetivo não é ganhar, mas perpetuar o jogo. Viver uma vida a serviço.

Nenhum de nós quer que o último extrato de nossa conta bancária seja gravado em nossa lápide. Queremos ser lembrados pelo que fizemos pelos outros. Mãe devotada, pai amoroso, amigo leal. Doar-se é bom para o Jogo.

Só temos uma escolha no Jogo Infinito da vida. Qual será a sua?

* * *

Se este livro inspirou você, passe-o adiante para alguém que você queira inspirar.

AGRADECIMENTOS

As ideias evoluem. Não são como uma luz que subitamente se acende ao clique de um interruptor. Tampouco são aleatórias. Temos ideias sobre questões que foram levantadas ou problemas com que estamos lidando. E, se houver um momento "eureca", ele só vem após termos lido coisas, observado coisas, ouvido coisas e tido conversas com outras pessoas – tudo isso contribuindo, inspirando e mostrando a direção que nossas ideias podem tomar. Esse é certamente o caso de *O Jogo Infinito*.

A semente para este livro foi plantada anos atrás, quando meu amigo Brian Collins me deu de presente um exemplar do livro de James Carse *Jogos finitos e infinitos* (obrigado, Dr. Carse, por ter escrito esse pequeno livro mágico). Fiquei encantado com a ideia, que começou a influenciar meu modo de ver o mundo. Posteriormente, dei dezenas de exemplares de presente a quem eu pensava que apreciaria essa visão alternativa. Uma dessas pessoas foi Andy Hohen, da RAND Corporation. Andy e eu tivemos muitas e longas conversas sobre como a ideia do Jogo Infinito era uma nova lente através da qual se podia ver a política global e a estratégia militar. David Shedd, grande pensador e servidor público há muito tempo, desafiou-me com perguntas difíceis que ajudaram a moldar ainda mais meu pensamento. Tive a sorte de ser convidado por Blane Holt, general de brigada reformado da Força Aérea dos Estados Unidos (USAF), e por Mike Ryan para comparecer a uma reunião da EuCoM na Alemanha, onde tive a oportunidade de trocar ideias sobre como podemos usar uma mentalidade infinita para compreender melhor o papel dos Estados Unidos no mundo pós-Guerra Fria. Depois, numa conferência de empreendedorismo em Nova York, Seth Godin deu uma palestra que me inspirou a abandonar meu script e tentar algo novo. Foi a primeira vez que apliquei o conceito de mentalidade infinita aos negócios. Ficou claro que precisamos mais do que uma nova lente através da qual observar o mundo; precisamos compreender o que significa liderar num mundo no qual a maioria de nós – se não todos nós – está jogando um jogo infinito de algum tipo.

Quando essa ideia começou a crescer, precisei testá-la. Havia alguns primeiros adeptos que assumiram o risco de me deixar compartilhar minha ideia ainda em formação com plateias, ao vivo. Bob Patton, da Ernest & Young, deixou-me falar sobre isso no Fórum de Crescimento Estratégico em Palm Springs, na Califórnia. A TED me ofereceu uma plateia em Nova York. O Google também permitiu que eu falasse sobre isso a seu quadro de funcionários. E a William Morris Endeavor incentivou-me a desafiar sua chefia com a ideia de liderar com mentalidade infinita. E, lenta mas seguramente, a ideia de como liderar no Jogo Infinito foi tomando forma. Para todas as pessoas que me incentivaram e me ofereceram uma oportunidade de testar as ideias com audiências reais, obrigado.

Quando finalmente levei a ideia ao meu editor, Adrian Zackheim, ele sorriu como já tinha feito no passado e disse: "Vou publicar isso." Meu profundo e sincero obrigado, Adrian, por mais essa aposta em minhas tresloucadas ideias sobre como acho que o mundo poderia funcionar. Então começou o trabalho real: escrever o livro.

Escrever um livro é uma combinação de pesquisa e escrita, muitas conversas e debates, depois refinamento e reescrita. Isso engloba todas as emoções… TODAS. E a pessoa que esteve comigo enquanto eu atravessava esse turbilhão foi Jenn Hallam. Minha parceira desde o início, você me incentivou a dar mais força a minhas ideias, ajudou-me a deixar o texto mais claro. Não poderia ter escrito este livro sem você. Obrigado, Jenn, não tenho palavras para agradecer.

Enquanto eu caía pela toca do coelho da escrita, minha equipe fez todo o resto por mim. A Sara Toborowsky, Kim Harrison, Lori Jackson, Melissa Williams, Molly Strong, Monique Helstrom e Laila Soussi e todos os outros da equipe, obrigado por sua paciência e por cuidar de mim e de tudo mais que teve que ser cuidado durante todos esses meses.

Um obrigado especial a Tom Staggs pelas horas e horas que me concedeu para dar mais força às ideias e a este livro. Valorizo muito seus conselhos e sua amizade. Obrigado a George Flynn, general reformado do Corpo de Fuzileiros Navais dos Estados Unidos (USMC) por estar ao meu lado durante toda a jornada – corrigindo comigo na leitura do manuscrito final. Obrigado a Tom Gardner e ao pessoal da Motley Fool, por compartilhar seu vasto conhecimento. Obrigado a Adam Grant, meu Rival Digno e amigo. Você é muito bom no que faz – me inspira a ser melhor. A Bob Chapman, meu parceiro na Causa. Nossa tocha está ardendo, cada dia mais brilhante.

A toda a turma da STRIVE Marrocos, obrigado. Foi com vocês, no deserto, que fiquei inspirado pela primeira vez a falar sobre o que significa viver uma vida infinita (pode ter tido algo a ver com o modo como eu me senti escalando aquela montanha naquele dia).

Às pessoas que dividiram comigo seus pensamentos e suas histórias para criar este livro: Angela Ahrendts, Christine Betts, delegado Jack Cauley, o policial Jake Coyle e todas as pessoas maravilhosas que conheci no Departamento de Polícia de Castle Rock, Sasha Cohen, John Couch, o capitão reformado da Marinha dos Estados Unidos (USN) Rich Diviny, Carl Elsener, Jeff Immelt, Curtis Martin, Steve Mitchell, Alan Mulally, Doug Parker, o major do Exército dos Estados Unidos Joe Rohde, William Swenson, e Lauryn Sargent e Scott Thompson – obrigado. Um obrigado especial a você, Kip Tindell, por mais do que suas histórias, por acreditar em mim e me dar todo o seu incentivo.

Para os que abriram suas mentes, depois me desafiaram e pressionaram – Sara Blakely; Linda Boff; o general reformado Kevin Chilton,

USAF; o coronel Mike Drowley, USAF; Elise Eberwine; Al Guido; Brian Grazer; David Kotkin; o capitão Maureen Krebs, USMC; Jamil Mahoud; o comandante C.K. Morgan, USN, do HSM-51 (você não sabe, mas sua carta de agradecimento remodelou todo o meu esboço); Essie North; o general reformado David Robinson, USAF; o general Lori Robinson, USAF; Daisy Robinton; Craig Russell; Jen Waldman; Kevin Warren; Mike Wirth –, do fundo do meu coração, obrigado.

Aos líderes, de todas as patentes, da Força Aérea, do Exército, da Guarda Costeira, da Marinha e do Corpo de Fuzileiros Navais dos Estados Unidos que testaram minha fibra, obrigado.

E, mais do que tudo, meu maior agradecimento vai para você, leitor. Aos que se juntaram a mim nesta Causa Justa. É uma honra servir você enquanto trabalhamos juntos para construir um mundo no qual a grande maioria das pessoas acorde inspirada, sinta-se segura no ambiente de trabalho e volte para casa realizada no fim do dia. Continue a se inspirar!

NOTAS

Introdução: Vencer

1   *The Fog of War – Eleven Lessons from the Life of Robert S. McNamara*, direção de Errol Morris (Los Angeles: Sony Pictures, 2003), www.errolmorris.com/film/fow_transcript.html.

Capítulo 1: Jogos finitos e infinitos

1   GUYON, Janet. "British Airways Takes a Flier", 27/09/1999, archive.fortune.com/magazines/fortune/fortune_archive/1999/09/27/266152/index.htm.

2   DILGER, Daniel Eran. "Microsoft Abandons Zune Media Players in Defeat by Apple's iPod", 14/03/2011, Apple Insider, appleinsider.com/articles/11/03/14/microsoft_abandons_zune_media_players_in_ipod_defeat.

3   RINGEN, Jonathan. "How Lego Became the Apple of Toys", *Fast Company*, 08/01/2015, www.fastcompany.com/3040223/when-it-clicks-it-clicks.

4   WARTZMAN, Rick. *The End of Loyalty – The Rise and Fall of Good Jobs in America* (Nova York: PublicAffairs, 2017), p. 20-21.

5   Equipe da *The Epoch Times*, "Staying True to Values: Interview with Carl Elsener Jr., Victorinox CEO", *The Epoch Times*, 08/08/2016, www.theepochtimes.com/staying-true-to-values-interview-with-carl-elsener-jr-victorinox-ceo_2132648.html.

6   *The Fog of War – Eleven Lessons from the Life of Robert S. McNamara*, direção de Errol Morris (Los Angeles: Sony Pictures, 2003), www.errolmorris.com/film/fow_transcript.html.

7   BEYERS, Tim. "Too Zune for Hype", *Motley Fool*, 20/11/2006, www.fool.com/investing/value/2006/11/30/too-zune-for-hype.aspx; e FROMMER, Dan. "Apple iPod Still Obliterating Microsoft Zune", *Business Insider*, 12/07/2010, www.businessinsider.com/through-may-apples-ipod-had-76-of-the-us-mp3-player-market--while-microsofts-zune-had-1-according-to-npd-gro-2010-7.

8   PRATER, Meg. "9 Brands that Survive Without a Traditional Marketing Budget", *HubSpot*, 17/07/2017, blog.hubspot.com/marketing/brands-without-traditional-marketing-budget.

9   "Apple's Profit Soars on iPod Sales," *Forbes*, 19/07/2006, www.forbes.com/2006/07/19/apple-ipod-earnings_cx_rr_0719apple.html#4e7d9a357f6c.

10 YARROW, Jay. "Here's What Steve Ballmer Thought about the iPhone Five Years Ago", *Business Insider*, 29/06/2012, http://www.businessinsider.com/heres-what-steve-ballmer-thought-about--the-iphone-five-years-ago-2012-6.

11 EICHENWALD, Kurt. "Microsoft's Lost Decade", *Vanity Fair*, agosto de 2012, www.vanityfair.com/news/business/2012/08/microsoft-lost-mojo-steve-ballmer.

12 FOLEY, Mary Jo "For Steve Ballmer, a Lasting Touch on Microsoft", *Fortune*, 10/12/2013, fortune.com/2013/12/10/for-steve-ballmer-a-lasting-touch-onmicrosoft.

13 WEINBERGER, Matt. "How Microsoft CEO Satya Nadella Did What Steve Ballmer and Bill Gates Couldn't", *Business Insider*, 30/01/2016, www.businessinsider.com/satya-nadella-achieved-one--microsoft-vision-2016-1.

14 EICHENWALD, Kurt. "Microsoft's Lost Decade", *Vanity Fair*, 24/07/2012, www.vanityfair.com/news/business/2012/08/microsoft--lost-mojo-steve-ballmer.

15 GARELLI, Stéphane. "Why You Will Probably Live Longer Than Most Big Companies", IMD, dezembro de 2016, www.imd.org/

research-knowledge/articles/why-you-will-probably-live-longer-than-most-big-companies; www.mckinsey.com/business-functions/strategy-and-corporate-finance/our-insights/reflections-on-corporate-longevity.

16   GITTLESON, Kim. "Can a Company Live Forever?", BBC News, 19/01/2012, www.bbc.com/news/business-16611040.

17   SINEK, Simon. *Líderes se servem por último*. 1. ed. Rio de Janeiro: Alta Books, 2018. (Glass-Steagall e a quebra da bolsa de valores.)

Capítulo 2: Causa Justa

1   WAGENER, Volker. "Leningrad: The City That Refused to Starve in WWII", DW.com, 09/08/2016, p.dw.com/p/1JxPh.

2   FRY, Carolyn. *Seeds – A Natural History* (Chicago: University of Chicago Press, 2016), p. 30-31.

3   JANICK, Jules. "Nikolai Ivanovich Vavilov: Plant Geographer, Geneticist, Martyr of Science", *HortScience* 50, nº 6 (01/06/2015): p. 772-76.

4   NABHAN, Gary Paul. *Where Our Food Comes From – Retracing Nikolay Vavilov's Quest to End Famine* (Washington, D. C.: Shearwater, 2009), p. 10.

5   MAJOR, Michael. "The Vavilov Collection Connection", Crop Trust, 19/03/2018, www.croptrust.org/blog/vavilov-collection-connection.

6   "Irvine California Jobs", Vizio, careers.vizio.com/go/Irvine-California-Jobs/4346100.

Capítulo 3: Causa verdadeira ou falsa?

1   Discurso do presidente Kennedy sobre a missão à Lua, Rice University, Houston, Texas, 12/09/1962, NASA, er.jsc.nasa.gov/seh/ricetalk.htm.

2   COLLINS, Jim. *Empresas feitas para vencer: Por que algumas em-*

presas alcançam a excelência... e outras não. 1. ed. Rio de Janeiro: Alta Books, 2018; e COLLINS, Jim e PORRAS, Jerry I. *Feitas para durar – Práticas bem-sucedidas de empresas visionárias*. 9. ed. Rio de Janeiro: Rocco, 2015.

3   A citação provém de uma entrevista do autor com Jeff Immelt.
4   Garmin, "About Us", "Our Vision", www.garmin.com/en-US/company/about.
5   A metáfora de sair de férias deriva do trabalho do coach de vendas Jack Daly.
6   PALEY, Eric. "Venture Capital Is a Hell of a Drug", *Tech Crunch*, 16/09/2016, techcrunch.com/2016/09/16/venture-capital-is-a-hell-of-a-drug.
7   SAMUELSON, Robert J. "Capitalism's Tough Love: The Real Lessons from the Fall of Sears and GE", *The Washington Post*, 13/01/2019, www.washingtonpost.com/opinions/capitalisms-tough-love-the-real-lessons-from-the-fall-of-sears-and-ge/2019/01/13/fef2d576-15df-11e9-803c-4ef28312c8b9_story.html.
8   MARTIN, Roger L. "M&A: The One Thing You Need to Get Right", *Harvard Business Review*, junho de 2016, hbr.org/2016/06/ma-the-one-thing-you-need-to-get-right.

Capítulo 4: Guardião da Causa

1   FARFAN, Barbara. "Overview of Walmart's History and Mission Statement", *The Balance Small Business*, 25/07/2018, www.thebalancesmb.com/history-of-walmart-and-mission-statement-4139760.
2   "Mike Duke Elected New Chief Executive Officer of Wal-Mart Stores, Inc.", Walmart, 21/11/2008, corporate.walmart.com/_news_/news-archive/investors/mike-duke-elected-new-chief-executive-officer-of-wal-mart-stores-inc-1229111.
3   EIDELSON, Josh. "The Great Walmart Walkout", *The Nation*, 19/12/2012, www.thenation.com/article/great-walmart-walkout.

4   SINEK, Simon. "Why Too Many Successions Don't Succeed", *Huffington Post*, 27/12/2008, www.huffingtonpost.com/simon-sinek/why-too-many-successions_b_146700.html.
5   De uma conversa com a general Lori Robinson.
6   DINKINS, Michael. "What Jack Welch Taught This CFO about Leadership", Spend Culture Stories Podcast, 2018, soundcloud.com/spendculture/what-it-was-like-to-work-with-jack-welch--michael-dinkins.
7   "Doug McMillon Elected New Chief Executive Officer of Wal-Mart Stores, Inc.", Walmart, 25/11/2013, corporate.walmart.com/_news_/news-archive/2013/11/25/doug-mcmillon-elected-new-chief-executive-officer-of-wal-mart-stores-inc.

Capítulo 5: A responsabilidade nos negócios (revista)

1   FRIEDMAN, Milton. "A Friedman Doctrine – The Social Responsibility of Business Is to Increase Its Profits", *The New York Times Magazine,* 13/09/1970, www.nytimes.com/1970/09/13/archives/a--friedman-doctrine-the-social-responsibility-of-business-is-to.html.
2   Idem. "A Friedman Doctrine".
3   SMITH, Adam. *A riqueza das nações.* 3. ed. São Paulo: WMF Martins Fontes, 2016.
4   Citado por Bryce G. Hoffman. *American Icon – Alan Mulally and the Fight to Save Ford Motor Company* (Nova York: Crown Publishing, 2012), p. 398.
5   FOHLIN, Caroline. "A Brief History of Investment Banking from Medieval Times to the Present", *The Oxford Handbook of Banking and Financial History*, ed. Youssef Cassis et al. (Oxford: Oxford University Press, 2014).
6   Referência de Tom Staggs.
7   LEVITIN, Michael. "The Triumph of Occupy Wall Street", *The Atlantic,* 10/06/2015, www.theatlantic.com/politics/archive/2015/06/the-

-triumph-of-occupy-wall-street/395408/; e RaySanchez, "Occupy Wall Street: 5 Years Later", CNN.com, 16/09/2016, www.cnn.com/2016/09/16/us/occupy-wall-street-protest-movements/index.html.

8   Transcrito de uma entrevista com Vo Nguyen Giap, comandante do Viet Minh [Liga para a Independência do Vietnã], People's Century, "Guerrilla Wars (1956-1989)", temp. 1, ep. 24, produzido por BBC e WGBH Boston, 1973, www.pbs.org/wgbh/peoplescentury/episodes/guerrillawars/giaptranscript.html.

Capítulo 6: Vontade e recursos

1   CARDWELL, Diane. "Spreading His Gospel of Warm and Fuzzy", *The New York Times,* 23/04/2010, www.nytimes.com/2010/04/25/nyregion/25meyer-ready.html.

2   CARDENAL, Andrés. "Higher Wages Could Pay Off for Wal-Mart Employees, Customers, and Investors", *Motley Fool,* 20/01/2016, www.fool.com/investing/general/2016/01/20/higher-wages-could-pay-off-for-wal-mart-employees.aspx.

3   HALL, Zac. "Retail Chief Angela Ahrendts Talks 'Today at Apple' and More in Video Interview", 9to5Mac, 17/05/2017, 9to5mac.com/2017/05/17/angela-ahrendts-today-at-apple-video.

4   REISINGER, Don. "Here's How Apple's Retail Chief Keeps Employees Happy", *Fortune,* 28/01/2016, fortune.com/2016/01/28 apple-retail-ahrendts-employees.

5   "Inúmeros estudos mostram que nos comprometemos mais com atividades que fazemos com paixão, e não movidos por uma recompensa externa como um troféu." Jonathan Fader, ph.D., "Should We Give Our Kids Participation Trophies?", *Psychology Today,* 07/11/2014, www.psychologytoday.com/us/blog/the-new-you/201806/should-we-give-our-kids-participation-trophies.

6   Entrevista do autor com Kip Tindell.

Capítulo 7: Equipes de Confiança

1 CHEN, Angus. "Invisibilia: How Learning to Be Vulnerable Can Make Life Safer", NPR, 17/06/2016, www.npr.org/sections/health-shots/2016/06/17/482203447/invisibilia-how-learning-to-be-vulnerable-can-make-life-safer.
2 Idem. "Invisibilia".
3 ELY, Robin J. e MEYERSON, Debra. "Unmasking Manly Men", *Harvard Business Review*, jul./ago. de 2008, hbr.org/2008/07/unmasking-manly-men.
4 Sessão de perguntas e respostas na Conferência da IACP em San Diego, 2016.
5 Entrevista do autor com o SEAL, Welch.
6 HOFFMAN, Bryce G. *American Icon – Alan Mulally and the Fight to Save Ford* (Nova York: Crown Publishing, 2012), p. 110-25.
7 Entrevista do autor com Alan Mullaly.
8 HOFFMAN, Bryce G. *American Icon – Alan Mulally and the Fight to Save Ford* (Nova York: Crown Publishing, 2012), p. 121.
9 Essa fórmula foi desenvolvida pelo tenente-general reformado George Flynn, USMC.

Capítulo 8: O declínio ético

1 CORKERY, Michael. "Wells Fargo Fined $185 Million for Fraudulently Opening Accounts", *The New York Times*, 08/09/2016, www.nytimes.com/2016/09/09/business/dealbook/wells-fargo-fined-for-years-of-harm-to-customers.html.
2 ARNOLD, Chris. "Former Wells Fargo Employees Describe Toxic Sales Culture, Even at HQ", NPR, 0410/2016, www.npr.org/2016/10/04/496508361/former-wells-fargo-employees-describe-toxic-sales-culture-even-at-hq.
3 Idem. "Former Wells Fargo Employees Describe Toxic Sales Culture".
4 "Wells Fargo Workers Created Fake Accounts", vídeo, CNN Bu-

siness, 10/04/2017, money.cnn.com/2017/04/10/investing/wells-fargo-board-investigation-fake-accounts/index.html.

5   EGAN, Matt. "Wells Fargo Claws Back $75 Million from Former CEO and Top Exec", CNN Business, 10/04/2017, money.cnn.com/2017/04/10/investing/wells-fargo-board-investigation-fake-accounts/index.html; e Diretores Independentes da Diretoria do Wells Fargo & Company, "Sales Practices Investigation Report", 10/04/2017, www.documentcloud.org/documents/3549238--Wells-Fargo-Sales-Practice-Investigation-Board.html.

6   Idem. "Feds Knew of 700 Wells Fargo Whistleblower Cases in 2010", CNN Business, 19/04/2017, money.cnn.com/2017/04/19/investing/wells-fargo-regulator-whistleblower-2010-occ/index.html?iid=EL.

7   Diretores Independentes da Diretoria do Wells Fargo & Company, "Sales Practices Investigation Report", 10/04/2017, p. 55, www.documentcloud.org/documents/3549238-Wells-Fargo-Sales-Practice-Investigation-Board.html.

8   Idem, p. 13, 8 e 46.

9   HOROWITZ, Julia. "Wells Fargo to Pay $2.09 Billion Fine in Mortgage Settlement", CNN Business, 01/08/2018, money.cnn.com/2018/08/01/investing/wells-fargo-settlement-mortgage--loans/index.html.

10 GLAZER, Emily. "Wells Fargo to Refund $80 Million to Auto-Loan Customers for Improper Insurance Practices", *Wall Street Journal*, 08/07/2017, www.wsj.com/articles/wells-fargo-to-refund-80-million-to-auto--loan-customers-for-improper-insurance-practices-1501252927.

11 "U.S. Probing Wells Fargo's Wholesale Banking Unit: WSJ", Reuters, 06/09/2018, www.reuters.com/article/us-wells-fargo-probe/u-s-probing-wells-fargos-wholesale-banking-unit-wsj-idUSKCN1LM28O.

12 Relatório Anual do Wells Fargo & Company 2016, p. 37, 88.3B.

13 KRANTZ, Matt. "Wells Fargo CEO Stumpf Retires with $134M", *USA Today*, 13/10/2016, www.usatoday.com/story/money/markets/2016/10/12/wells-fargo-ceo-retires-under-fire/91964778/.

14 MAREMONT, Mark. "EpiPen Maker Mylan Tied Executive Pay to Aggressive Profit Targets", *Wall Street Journal*, 01/09/2016, www.wsj.com/articles/epipen-maker-mylan-tied-executive-pay-to-aggressive-profit-targets-1472722204; PICCHI, Aimee. "Mylan Boosted EpiPen's Price Amid Bonus Target for Execs", CBS News, 01/09/2016, www.cbsnews.com/news/mylan-boosted-epipens-price-amid-bonus-target-for-execs;eMORGENSON,Gretchen."EpiPen Price Rises Could Mean More Riches for Mylan Executives", *The New York Times*, 01/09/2016, www.nytimes.com/2016/09/04/business/at-mylan-lets-pretendismore-than-a-game.html.

15 Idem. "EpiPen Price Rises Could Mean More Riches for Mylan Executives".

16 HO, Catherine. "CEO at Center of EpiPen Price Hike Controversy Is Sen. Joe Manchin's Daughter", *The Washington Post*, 24/08/2016, www.washingtonpost.com/news/powerpost/wp/2016/08/24/ceo-at-center-of-epipen-price-hike-controversy-is-sen-joe-manchins-daughter/?utm term=.7f474849840b; e EGAN, Matt. "How EpiPen Came to Symbolize Corporate Greed", CNN Business, 29/08/2016, money.cnn.com/2016/08/29/investing/epipen-price-rise-history/index.html.

17 WIENER-BRONNER, Danielle. "Mylan CEO: You Can't Build a Company in a Quarter", CNN Business, 04/06/2018, money.cnn.com/2018/06/04/news/companies/heather-bresch-boss-files/index.html.

18 "Mylan Agrees to Pay $465 Million to Resolve False Claims Act Liability for Underpaying EpiPen Rebates", U.S. Department of Justice, Office of Public Affairs, 17/08/2017, www.justice.gov/opa/pr/mylan-agrees-pay-465-million-resolve-false-claims-act-liability-underpaying-epipen-rebates.

19 TENBRUNSEL, Ann E. e MESSICK, David M. "Ethical Fading: The Role of Self-Deception in Unethical Behavior", Social Justice Research 17, n° 2 (jun. 2004): p. 223-36.

20 Idem. "Ethical Fading", p. 228-29.

21 EGAN, Matt. "Elizabeth Warren to Wells Fargo CEO: 'You Should Be Fired'", CNN Business, 03/10/2017, money.cnn.com/2017/10/03/investing/wells-fargo-hearing-ceo; e "Wells Fargo Statement Regarding Board Investigation into the Community Bank's Retail Sales Practices", Business Wire, 10/04/2017, www.businesswire.com/news/home/20170410005754/en/Wells-Fargo-Statement-Board--Investigation-Community-Bank%E2%80%99s.

22 "Dr. Leonard Wong Discusses a Culture of Dishonesty in the Army", STEM-Talk, ep. 29, Florida Institute for Human & Machine Cognition, 17/01/2017, www.ihmc.us/stemtalk/episode-29-2.

23 WONG, Leonard e GERRAS, Stephen J. "Lying to Ourselves: Dishonesty in the Army Profession", U.S. Army War College Strategic Studies Institute (Carlisle Barracks, PA: U.S. Army War College Press, 2015), ssi.armywarcollege.edu/pdffiles/pub1250.pdf.

24 Idem.

25 NUDD, Tim. "Ad of the Day: Patagonia", *Adweek*, 28/11/2011, www.adweek.com/brand-marketing/ad-day-patagonia-136745/.

26 BURKE, Monte. "The Greenest Companies in Fly Fishing", FlyFisherman.com, 01/02/2016, www.flyfisherman.com/conservation/greenest-companies-in-fly-fishing/Chouinard.

27 MARGOLIN, Katya. "Could Patagonia's Alternative Leadership Model Unleash the Best in Your People?", Virgin, 07/10/2016, www.virgin.com/entrepreneur/could-patagonias-alternative-leadership-model-unleash-best-your-people.

28 Patagonia, "Sustainability Mission/Vision", https://www.patagonia.com/sustainability.html.

29 Patagonia, "Don't Buy This Jacket, Black Friday and *The New York*

Times", 25/11/2011, www.patagonia.com/blog/2011/11/dont-buy-this-jacket-black-friday-and-the-new-york-times.

30   WHITE, Gillian B. "All Your Clothes Are Made with Exploited Labor", *The Atlantic*, 03/06/2015, www.theatlantic.com/business/archive/2015/06/patagonia-labor-clothing-factory-exploitation/394658.

31   MARGOLIN, Katya. "Could Patagonia's Alternative Leadership Model Unleash the Best in Your People?", Virgin, 07/10/2016, www.virgin.com/entrepreneur/could-patagonias-alternative-leadership-model-unleash-best-your-people.

32   "Three Guides for Going B – and Why It Matters", Patagonia.com, 27/08/2018, www.patagonia.com/blog/2018/08/three-guides-for-going-b-and-why-it-matters.

33   BEER, Jeff. "How Patagonia Grows Every Time It Amplifies Its Social Mission", *Fast Company*, 21/02/2018, www.fastcompany.com/40525452/how-patagonia-grows-everytime-it-amplifies-its-social-mission.

34   "Clothing Company Tells Customers to Buy Less", *PBS NewsHour*, 21/08/2015, www.pbs.org/newshour/extra/daily-videos/clothing-company-tells-consumers-to-buy-less.

Capítulo 9: Rivais Dignos

1   KNAPP, Gwen. "Evert vs. Navratilova – What a Rivalry Should Be", *San Francisco Chronicle*, 09/06/2005, www.sfgate.com/sports/knapp/article/Evert-vs-Navratilova-what-a-rivalry-should-be-2661371.php.

2   Jonathan Fader, ph.D., "Should We Give Our Kids Participation Trophies?", *Psychology Today*, 07/11/2014, www.psychologytoday.com/us/blog/the-new-you/201806/should-we-give-our-kids-participation-trophies.

3   HOFFMAN, Bryce G. *American Icon – Alan Mulally and the*

Fight to Save Ford (Nova York: Crown Publishing, 2012), p. 109; e MILLER CALDICOTT, Sarah. "Why Ford's Alan Mulally Is an Innovation CEO for the Record Books", *Forbes*, 25/06/2014, www.forbes.com/sites/sarahcaldicott/2014/06/25/why-fords-alan-mulally-is-an-innovation-ceo-for-the-record-books/#6b2caf297c04.

4   Idem. *American Icon*, p. 127.
5   Idem. *American Icon*, p. 97-98.
6   Idem. *American Icon*, p. 139.
7   MURPHY JR., Bill. "37 Years Ago, Steve Jobs Ran Apple's Most Amazing Ad. Here's the Story (It's Almost Been Forgotten)", Inc.com, 23/08/2018, www.inc.com/bill-murphy-jr/37-years-ago-steve-jobs-ran-apples-most-amazing-ad-heres-story-its-almost-been-forgotten.html.
8   Idem.
9   DOUGLAS, John. *Mindhunter – O primeiro caçador de serial killers americano*. 1. ed. Rio de Janeiro: Intrínseca, 2017.

Capítulo 10: Flexibilidade Existencial

1   GABLER, Neal. *Walt Disney – O triunfo da imaginação americana*. 2. ed. São Paulo: Novo Século, 2016.
2   Idem.
3   VIKI, Tendayi. "On the Fifth Anniversary of Kodak's Bankruptcy, How Can Large Companies Sustain Innovation?", Forbes, 19/01/2017, www.forbes.com/sites/tendayiviki/2017/01/19/on-the-fifth-anniversary-of-kodaks-bankruptcy-how-can-large-companies-sustain-innovation/#5eb918e46280.

Capítulo 11: A Coragem para Liderar

1   MERLO, Larry. "The Good and the Growth in Quitting", TED Talk, Wake Forest University, vídeo no YouTube, 15:24, abr. 2015, www.youtube.com/watch?v=aM2ZtpqwYQs.
2   MORGANTEEN, Jeff. "Cramer: CVS' Tobacco Move Won't Fly

on Wall Street", CNBC, 05/02/2015, www.cnbc.com/2014/02/05/cramer-cvs-tobacco-move-wont-fly-on-wall-street.html.

3 "CVS' Tobacco Exit Draws Reaction, Applause", *Convenience Store News*, 06/02/2014, csnews.com/cvs-tobacco-exit-draws-reaction-applause.

4 "We Quit Tobacco, Here's What Happened Next", Thought Leadership, release de imprensa do CVS Health Research Institute, 01/09/2015, cvshealth.com/thought-leadership/cvs-health-research-institute/we-quit-tobacco-heres-what-happened-next.

5 BERK, Brian. "CVS Pharmacy Unveils the 'Next Evolution of the Customer Experience'", *Drug Store News*, 19/04/2017, www.drugstorenews.com/beauty/cvs-pharmacy-unveils-next-evolution-customer-experience.

6 MEOLA, Andrew. "Rite Aid (RAD) and Walgreen (WAG) Rise on CVS Caremark (CVS) Tobacco Announcement", TheStreet, 05/02/2014, www.thestreet.com/story/12311827/1/rite-aid-rad-and-walgreen-wag-rise-on-cvs-caremark-cvs-tobacco-announcement.html.

7 CVS Health Corporation Revenue & Earnings Per Share (EPS), Nasdaq, dados de 02/04/2019, www.nasdaq.com/symbol/cvs/revenues-eps.

8 Entrevista do autor com Doug Parker.

9 WONG, Edward. "Under Fire for Perks, Chief Quits American Airlines", *The New York Times*, 25/04/2003, www.nytimes.com/2003/04/25/business/under-fire-for-perks-chief-quits-american-airlines.html.

10 Entrevista do autor com Doug Parker.

11 "A Letter to American Employees from Doug Parker and Robert Isom on Team Member Pay", American Airlines Newsroom, 26/04/2017, news.aa.com/news/news-details/2017/A-letter-to-American-employees-from-Doug-Parker-and-Robert-Isom-on-team-member-pay/default.aspx.

12 "The Case Against 'Maximizing Shareholder Value'", NPR, 06/05/2017, www.npr.org/2017/05/06/527139988/the-case-against-maximizing-shareholder-value.

13 BIERS, John. "American Airlines Defends Pay Increase As Shares Tumble", Yahoo Finance, 27/04/2017, finance.yahoo.com/news/american-airlines-boosts-employee-pay-earnings-fall-130526168.html.

14 Conversa do autor com Doug Parker, 03/05/2019.

15 Citado em Adam Levine-Weinberg, "7 Ways Warren Buffett Blasted the Airline Industry – Before Investing Billions There", *Motley Fool*, 05/03/2017, www.fool.com/investing/2017/03/05/7-ways-warren-buffett-blasted-the-airline-industry.aspx.

16 Walgreens Boots Alliance, "About us", "Vision, Purpose and Values", www.walgreens bootsalliance.com/about/vision-purpose-values.

17 COHEN, Ronnie. "When CVS Stopped Selling Cigarettes, Some Customers Quit Smoking", Reuters, Health News, 20/03/2017, www.reuters.com/article/us-health-pharmacies-cigarettes/when-cvs-stopped-selling-cigarettes-some-customers-quit-smoking-idUSKBN16R2HY.

18 SCHENCKER, Lisa. "Why Is Walgreens Still Selling Cigarettes? Shareholders Want to Know", *Chicago Tribune*, 26/01/2017, www.chicagotribune.com/business/ct-walgreens-selling-cigarettes-0127-biz-20170126-story.html.

19 "Health Effects of Cigarette Smoking", Centers for Disease Control and Prevention, www.cdc.gov/tobacco/data_statistics/fact_sheets/health_effects/effects_cig_smoking/index.htm.

20 "Economic Trends in Tobacco", Centers for Disease Control and Prevention, www.cdc.gov/tobacco/data_statistics/fact_sheets/economics/econ_facts/index.htm.

21 Centers for Disease Control Prevention (CDC), "Quitting Smoking Among Adults – United States, 2001-2010", MMWR. Morbidity and Mortality Weekly Report 60, nº 44 (11/11/2011): p. 1.513-19,

www.ncbi.nlm.nih.gov/pubmed?term=22071589; https://www.cdc.gov/tobacco/data_statistics/fact_sheets/cessation/quitting/index.htm.

22. Rite Aid, "About Us", "Our Story", www.riteaid.com/about-us/our-story.
23. PARKER, Paul Edward. "Rite Aid Responds to CVS Decision to Stop Selling Tobacco", *Providence Journal*, 06/02/2014, www.providencejournal.com/breaking-news/content/20140206-rite-aid-responds-to- cvs-decision-to-stop-selling-tobacco.ece.
24. CVS Health, CVS Purpose Short, YouTube, 09/10/2017, www.youtube.com/watch?v=Geq6HuItPN4.
25. LOHR, Steve e THOMAS JR., Landon. "The Case Some Executives Made for Sticking with Trump", *The New York Times*, 17/08/2017, www.nytimes.com/2017/08/17/business/dealbook/as-executives-retreated-lone-voices-offered-support-for-trump.html.

CONHEÇA OS LIVROS DE SIMON SINEK

O Jogo Infinito

Comece pelo porquê

Encontre seu porquê

Juntos somos melhores

Para saber mais sobre os títulos e autores da Editora Sextante,
visite o nosso site e siga as nossas redes sociais.
Além de informações sobre os próximos lançamentos,
você terá acesso a conteúdos exclusivos
e poderá participar de promoções e sorteios.

sextante.com.br